EDGAR CAYCE :
GUÉRIR PAR LA MUSIQUE

DU MÊME AUTEUR

Les Prophéties d'Edgar Cayce, Le Rocher, 1989.

L'Univers d'Edgar Cayce t. I, Robert Laffont, 1985 et t. II, 1987.

L'Astrologie karmique d'Edgar Cayce, Robert Laffont, 1983.

Le guide de l'Anticonsommateur, Seghers-Robert Laffont, 6ᵉ édition (en collaboration avec Martine Grapas), 1981.

Le Pendule, premières leçons de radiesthésie, Solar, 1982.

Médecines douces pour nos enfants, Stock, 1978, Le Rocher, 1982 (en collaboration avec Marie-Églé Granier-Rivière).

Le Grand Livre du Scorpion, Tchou et Sand (sous le nom de Marguerite de Bizemont), 1979.

Le Grand Livre du Cancer, Tchou et Sand (en collaboration avec Sara Sand), 1979.

Comment parler avec les animaux (en collaboration avec le Pr Lecomte et Hugues de Bonardi), Jean-Jacques Pauvert, 1978, et Trois Suisses, 1985.

Les Bons Astromariages (en collaboration avec Hélène Monsart, et sous le nom de Marguerite de Bizemont), Mercure de France, 1977, Trois Suisses, 1985, et Garancière, 1987.

Le Sagittaire, Solar, 1982.

Le Capricorne, Solar, 1982.

La Balance, Solar, 1982.

L'Art des bouquets secs,, Dessain et Tolra, 1977.

Le Petit Guide des rivages, Fleurus, 1975.

En traduction :

De nombreuses vies, de nombreuses amours, de Gina Germinara (suite de l'ouvrage *De nombreuses demeures*) aux Éditions Adyar, 1984.

Les remèdes d'Edgar Cayce du Dr William A. Mac Garey, Le Rocher, 1988.

DOROTHÉE KOECHLIN DE BIZEMONT

EDGAR CAYCE : GUÉRIR PAR LA MUSIQUE

ÉDITIONS DU ROCHER
Jean-Paul BERTRAND
Éditeur

DANS LA MÊME COLLECTION

© Éditions du Rocher, 1989
ISBN 2268 600 841 X

REMERCIEMENTS

Je tiens ici à exprimer toute ma gratitude à cette équipe d'amis et d'amies fidèles qui ont collaboré de tout cœur à cet ouvrage.

Merci aux deux musiciens qui ont bien voulu accepter la tâche ingrate de relire soigneusement le manuscrit pour y apporter leurs observations de professionnels : Marie-Luce Lucas, compositeur, et Arnaud de Beauregard, organiste concertiste.

Je remercie également Dominique Laborde, professeur de musique et psychophoniste, qui assume bénévolement le secrétariat du Navire Argo, de ses suggestions ; Arielle Fonrojet qui, elle aussi, travaille avec une immense foi et une grande compétence, qui m'a beaucoup soutenue. C'est vrai aussi de Denise Fouin, de Christiane Riedel, d'Annie Porcheray, de Patricia Bornic, de Brigitte de la Gabbe, qui se battent pour m'aider à faire connaître Cayce. Elles ont beaucoup de courage, car cet enseignement de Cayce ne plaît pas à tout le monde : il est en opposition totale avec le matérialisme ambiant de notre temps ! Merci enfin à Simonne Brousse, à Jean-Baptiste Trouplin, à Marie-France de Rose, à Simonne Nail, à Sylvie Simon, à Yvane Guichaoua, à Michel Buthaud, à Patricia Delorme, à Élizabeth Reuteler, à Patrick Mazery, à Pomme et Louis Viel, à Mᵉ J.-P. Tofani, à Philippe et Marie-Claire Guyot qui n'ont pas craint de voter pour Edgar Cayce !

Merci enfin à mon éditeur, Jean-Paul Bertrand qui croit à l'avenir du prophète de Virginia Beach !

INTRODUCTION

Edgar Cayce[1] n'a jamais voulu « écrire un livre sur la musique ». D'abord, parce qu'il n'était pas écrivain. Sa profession était d'être médium, et de guérir les malades par des diagnostics médiumniques, qu'il appelait « readings », c'est-à-dire « lectures ». Autrement dit, des voyances... Il les donnait allongé sur un divan, en prenant les apparences du sommeil — un sommeil très spécial, qui lui permettait de répondre à toutes les questions qu'on lui posait. Cet état, obtenu par suggestion, n'était pas de l'hypnose[2] — plutôt une sorte de transe médiumnique.

Dans ces consultations qu'il donnait chaque jour, il a très souvent parlé de la musique : celle-ci était la forme d'art la plus accessible aux consultants de Cayce. Encore aujourd'hui aux

1. Né en 1897, mort en 1945 aux États-Unis. Voir bibliographie en fin de volume.
2. A l'exception des toutes premières lectures, qu'il se donna pour se guérir lui-même d'une paralysie des cordes vocales. Voir *l'Univers d'Edgar Cayce*, Tome I, Éd. Robert Laffont, et *Edgar Cayce le Prophète* par Jess Stearn, Éd. Sand.

États-Unis, les arts plastiques sont dans les musées. Pas dans la rue, où le promeneur n'a rien à se mettre sous la dent — rien de comparable à ce qu'offrent à chaque pas la France, l'Italie, la Grèce, la Suisse!

En compensation, aux États-Unis, la musique a connu un développement important, et cela beaucoup à travers les groupes religieux. Du temps de Cayce, tout le monde allait chanter dans son église le dimanche. Voilà pourquoi les consultants de Cayce étaient très ouverts à une réflexion sur la musique. Cayce pouvait leur en parler beaucoup : ils comprenaient.

Je n'ai pas donné toutes les lectures sur le sujet : il y en a trop, et souvent elles se répètent. Mais, comme je le fais d'habitude, seulement les plus significatives. Il n'est pas question ici d'en faire un traité sur la musique — la perspective de Cayce était, en priorité, la guérison de ses malades. Il a donc parlé de la musique surtout sous un angle de thérapie. Pour lui, c'était un outil essentiel, indispensable, de guérison.

Les lectures de Cayce sur la musique sont branchées sur une pensée spirituelle — comme toute sa philosophie. Car, pour lui, il n'est de guérison possible que si l'on considère l'Homme comme un tout, corps, esprit et âme. (D'ailleurs, autrefois et dans toutes les religions, les prêtres étaient aussi médecins et guérisseurs, tels nos druides. C'est désastreux qu'ils l'aient oublié aujourd'hui! Leur modèle, le Christ Jésus, n'était-il pas lui-même guérisseur?)

La pensée de Cayce sur la musique s'inscrit donc dans une vision du monde qui est celle de demain. Vision que l'on appelle, suivant les pays et les groupes, «vision holistique», «pensée du Nouvel Age», «philosophie de l'Ère du Verseau», etc. Mais tout cela est pareil : c'est une façon de penser qui nous ramène vers l'Unité. Je veux dire l'unité avec nos frères humains, l'unité avec les

10

règnes de la Nature, l'unité avec les êtres invisibles qui peuplent les espaces cosmiques. Bref, l'unité avec Dieu. Avec comme merveilleux cadeau, l'unité retrouvée avec nous-mêmes : au lieu d'être un homme divisé par ses désirs conflictuels, en guerre avec lui-même, nous allons retrouver notre unité intérieure ; cette coordination de nos trois corps (physique, mental et spirituel) va nous permettre enfin de remplir notre programme, notre projet d'homme et de femme : devenir des dieux — puisque nous sommes tous les fils et les filles du Père.

Ce que je viens de résumer en quelques lignes, c'est ce que Cayce appelle « LA LOI DE UN », qui fut la religion de toutes les grandes civilisations disparues[1], et de l'Égypte ancienne. L'Égypte, dont Cayce voulait nous rendre les clés — pour notre guérison !

---

1. De la Grèce aussi, bien sûr. Mais celle-ci doit beaucoup à l'enseignement égyptien : tous les grands maîtres grecs ont fait un stage d'initiation en Égypte.
C'est la Grèce qui a transmis « La Loi de Un » à Rome, malgré les apparences de polythéisme : les noms des dieux grecs doivent être compris comme symboliques d'une fonction (Cf. *Pleins feux sur la Grèce antique*, Emmanuel, Dervy-Livres).

I
LA NATURE
DE LA MUSIQUE

UN PHÉNOMÈNE VIBRATOIRE

Qu'est-ce que la musique ? Cayce, très en avance sur son époque du point de vue scientifique, l'a définie comme un phénomène vibratoire, de même nature que la couleur (dont le son n'est qu'un autre aspect).

« TOUTE ÉNERGIE EST VIBRATION, ET TOUT PROVIENT D'UNE SEULE VIBRATION CENTRALE (...) QUI SE DIVERSIFIE SOUS DE MULTIPLES FORMES. »

(Lecture 900-422)

Autrement dit, l'énergie cosmique nous parvient sous forme de vibrations, qui prennent diverses formes : couleurs, sons, matière... Cayce parlait des

« SOURCES D'ÉNERGIE CONDENSÉES SOUS LA FORME DE CE QUI EST APPELÉ MATIÈRE ».

(Lecture 262-55)

Au même consultant, plus tard, il expliquera que la matière est

15

(Lecture 262-55)

Pour lui, la source de toutes les énergies est divine, c'est Dieu, qu'il appelle « THE CREATIVE FORCES » (c'est-à-dire les FORCES ou les ÉNERGIES CRÉATRICES), ou l'ESPRIT.
La musique, bien entendu, provient de ces mêmes sources d'énergie cosmique — qui ne sont pas « CONDENSÉES SOUS FORME DE MATIÈRE » au contact de notre monde.

COULEURS ET SONS

Cette énergie vibratoire se condense également sous forme de couleur :

« LA COULEUR N'EST RIEN D'AUTRE QU'UNE VIBRATION. LA VIBRATION EST MOUVEMENT. »

(Lecture 281-29)

« LA VIBRATION EST L'ESSENCE MÊME, LA BASE, DE LA COULEUR. »

(Lecture 281-30)

En effet, couleurs et sons relèvent du même phénomène vibratoire :

« L'ENTITÉ [1] SAISIT LA COULEUR PLUTÔT QUE LES SONS, COMME ON APPELLE HABITUELLEMENT LES VIBRATIONS ACOUSTIQUES, VOYEZ-VOUS ? BIEN QUE, NATURELLEMENT, C'EST LA VIBRATION DU SON QUI PRODUIT LA COULEUR. CAR, BIEN

1. C'est-à-dire le consultant pour lequel Cayce donne cette lecture.

ENTENDU, COULEUR ET SON NE SONT QUE DES VIBRATIONS
D'UNE LONGUEUR D'ONDE DIFFÉRENTE. »

(Lecture 2779-1)

Dans le ravissant opéra pour enfants *Les Notes magiciennes*, le compositeur Marie-Luce Lucas avait mis en musique cette équivalence :

«*La musique est un arc-en-ciel*
«*Toutes les couleurs lui conviennent*
«*Pour nous, le SOL est terre de Sienne,*
«*Et celui-là si éclatant*
«*C'est le DO dans son habit blanc.*
«*Tout prêt à prendre le relais*
«*Voici le SI d'un noir de jais*
«*Cette note mutine qui bouge*
«*C'est le RÉ dans son habit rouge*
«*Là, c'est le LA,*
«*Couleur lilas*
«*Qui se cache derrière ce fada de FA*
«*Couleur de réséda.*
«*La dernière, ne sois pas morose,*
«*Est le MI tout timide et tout rose...*»

(*Les Notes magiciennes*, livret de Maryvonne Denigot, musique de Marie-Luce Lucas, Éditions musicales G. Billaudot, Paris.)

Les scientifiques de demain auront une compréhension beaucoup plus claire de tous ces phénomènes, dont les initiés des civilisations antiques avaient sûrement connaissance. Dans les lectures sur l'Atlantide, Cayce suggère que les savants de ce continent savaient bien mieux que nous manier ces vibrations de la couleur et du son. Nous sommes aujourd'hui englués, piégés dans la matière ; c'est ce qui nous rend extrêmement myopes :

« MAINTENANT, VOUS ÊTES LOGÉ DANS UNE MATIÈRE BIEN PLUS LOURDE, DANS SA SUBSTANCE, QU'AUTREFOIS, QUAND VOTRE CORPS VIBRAIT AVEC LA LUMIÈRE — QUI DEVIENT COULEUR, QUI DEVIENT SON, QUI DEVIENT ACTIVITÉ. »

(Lecture 281-25)

Voilà pourquoi notre corps émet à la fois des sons et des couleurs. Il émet la lumière qu'on appelle l'aura[1] (et que nous ne savons plus voir, au point que le commun des mortels avait oublié son existence) :

« ORIENTEZ VOS RECHERCHES SUR LE SON (...). CELA VOUS FERA COMPRENDRE COMMENT CE QU'ON APPELLE LES COULEURS QUI ÉMANENT DU CORPS EN SONT L'EXPRESSION. »

(Lecture 281-25)

Cayce rappelle ici que l'aura est une émanation vibratoire du corps, liée au son et à la lumière solaire. Autrefois, dans les temps primitifs, lorsque les êtres étaient incarnés dans des corps moins denses, ils utilisaient directement les vibrations de la lumière solaire qu'ils transformaient à volonté en couleur, en son, en mouvement.

Un jour, nous retrouverons ces techniques perdues, car elles sont inscrites en nous. Pour certains c'est possible dès aujourd'hui, comme le raconte A.K. Edwards dans son livre *Mondes de Lumière, Rapport X.7*[2]. Il s'agit d'un groupe de déportés russes en Sibérie, qui, enfermés au fond d'une mine de sel, auraient fait des expériences

---

1. Il n'est pas si difficile d'apprendre à lire l'aura. Cayce a enseigné une méthode, que nous pratiquons dans nos ateliers du *Navire Argo* (BP 674-08, 75367 Paris, France). Voir le chapitre sur l'Aura dans *L'Univers d'Edgar Cayce*, Tome I, Éd. R. Laffont.
2. Éditions le Hiérarch. Titre anglais: *A World within a World* publié par la Fondation Findhorn en Écosse, en 1979.

sur l'utilisation concrète des radiations de la lumière solaire :

« *Ces radiations viennent d'une source qui est (...) l'Être Suprême. (...) Les rayons ou vibrations en provenance du Centre le plus élevé de la Divinité contiennent toutes les qualités de l'Être, mais leurs aspects les plus puissants sont essentiellement Amour et Sagesse (...). Ils sont émis sous forme de radiations de couleurs et de sons, ces fonctions étant synonymes. Ce que vous identifiez comme un son émet, selon le degré des radiations, de la couleur.* » (op. cit. pp. 29-30)

Ce groupe de déportés apprit à utiliser les radiations solaires pour se nourrir, se guérir, se développer sur tous les plans... Voici ce qu'ils disent sur ces radiations, qui sont à la fois son et couleur :

« *A votre utilisation du terme "son" pour désigner l'équivalent de base du terme "couleur", nous préférons le terme "tonalité". Car il s'applique aussi bien à la couleur qu'au son. La sonorité paisible de l'angélus du soir émet une radiation multicolore* ». (p. 43)

« *Tout est lumière. La lumière est radiation ; la radiation devient respectivement ou simultanément couleur et tonalité. Les deux sont équivalents.* » (p. 49)

Voilà qui fait mieux comprendre pourquoi Cayce dit :

‹ LES COULEURS SONT NATURELLEMENT LA SPIRITUALISATION DU TON, C'EST-À-DIRE DU SON. ›

(Lecture 288-38)

De nombreux musiciens ont perçu cette équivalence, et ont essayé de l'exprimer. Par exemple,

19

« Olivier Messiaen avait conté, vers 1960, à l'Institut de Musicologie de la Sorbonne, comment en Amérique du Sud il s'était prêté à une étrange expérience : ayant consenti à absorber une certaine drogue (...), durant quelques heures sa vision était restée troublée ; la vue et l'ouïe étaient confondues. Il voyait les sons et entendait les couleurs. »

(R.J.V. Cotte, *Musique et Symbolisme*, Éd. Dangles, p. 29.)

En réalité, la vision du musicien n'était pas « troublée », elle était seulement « améliorée », grâce à cette drogue particulière, pour lui faire percevoir la vraie réalité. C'est une expérience assez connue. Bien des poètes, des savants, des écrivains, des artistes divers ont perçu, même sans faire appel à la drogue, cette équivalence couleur-son. Rimbaud l'a transcrite dans son fameux poème sur les voyelles colorées :

« A noir, E blanc, I rouge, U vert, O bleu... »

Un trio de savants pères jésuites, le fameux Athanase Kircher (1602-1680), le Père Mersenne (1588-1648) et le Père Louis-Bertrand Castel (1688-1757) avaient travaillé cette question. Le premier, grand savant égyptologue, se souvenait peut-être d'avoir connu tout cela en Égypte ancienne... (Il fut le premier à analyser le zodiaque de Dendérah). Le Père Mersenne était un ami de Descartes, et le Père Castel vivait dans l'ambiance excitante du Siècle des lumières avec ses découvertes scientifiques...

Mais c'est surtout le compositeur russe Alexandre Scriabine (1872-1915) qui essaya d'« *associer à l'interprétation de ses œuvres musicales une partition de couleurs, que l'on devait exécuter conjointement à la partition musicale. L'exécutant manœuvrait un clavier commandant des projections de couleurs associées aux harmonies* » (R.J.V. Cotte, op. cit..p. 33). Malheureusement, c'était trop tôt: *«Le public fut déconcerté et ne perçut pas clairement l'intention de l'auteur»* (p. 35). C'est seulement aujourd'hui qu'il est mûr pour un spectacle complet (comme le laisse penser le succès des «Son et Lumière», que nous avons créés chez nous et à l'étranger). Car, dit Cyril Scott[1]

«la science des sons n'est pas encore connue en Occident».

Et des artistes comme Scriabine furent considérés, en leur temps, comme fous à lier! Cependant,

*«un jour viendra où les vœux de ces prétendus névrosés seront comblés; des couleurs seront alors projetées sur écran, où elles exprimeront le message*contenu dans la musique jouée par l'orchestre. Ce jour-là, le rêve de Scriabine sera réalisé; on assistera enfin à la synthèse de la couleur et du son, et les auditeurs de demain pourront expérimenter les effets stimulants et curatifs de cette puissante harmonisation[2]».*

On retrouvera alors la vertu thérapeutique du théâtre grec, où tous les arts étaient synthétisés dans un ensemble destiné à mettre le spectateur dans un état de transe. De cette «catharsis», le public ressortait purifié. C'est d'ailleurs encore aujourd'hui au théâtre, et dans les métiers du spectacle, que l'on trouve le plus d'artistes complets, aussi doués pour la danse que pour le chant, la diction ou la peinture...

---

1. Cyril Scott, *La Musique, son influence secrète à travers les âges*, p. 172, Éd. La Baconnière, Neuchâtel, Suisse.
2. Idem, p. 239.

LES ARTISTES COMPLETS

L'équivalence profonde entre son et couleur explique pourquoi tant d'artistes passent facilement d'un art à un autre. Vous connaissez comme moi des peintres ou des architectes qui ont comme «violon d'Ingres» la musique (en mémoire du peintre, bien connu, qui se délassait en jouant du violon!). Non pas que tous les artistes, ni même la majorité, réussissent également dans toutes les disciplines. Car la réussite dans un art dépend de la quantité d'heures de travail qu'on lui consacre! Mais beaucoup, qui sont excellents professionnellement, en musique, comédie ou peinture, savent également très bien danser, chanter, sculpter... ou écrire. Celui qui perçoit les vibrations cosmiques de la lumière peut les travailler dans différentes directions (ce que les Grecs exprimaient en disant que les Muses étaient sœurs[1]).

Beaucoup d'artistes essayent différentes formes d'art dans leurs diverses incarnations:

«ELLE EST CAPABLE DE TROUVER EN ELLE-MÊME COMMENT EXPRIMER, PAR SES MOTS, PAR SA PENSÉE, PAR SES ŒUVRES, COMMENT ELLE SENT LES FORCES DE LA NATURE S'ACCORDER AVEC LES ÉNERGIES DIVINES.

L'ENTITÉ AURAIT MÊME PU DÉVELOPPER SON HABILETÉ À PEINDRE. DANS CE CAS, LA FORCE D'IMAGINATION QU'ELLE MET DANS L'ÉCRITURE AURAIT ÉTÉ CANALISÉE DIFFÉREMMENT.»

1. Intéressante famille, trop oubliée aujourd'hui: je rafraîchirai donc la mémoire de mes lecteurs et lectrices: les Muses étaient les déesses des Sciences et des Arts. *Clio* régnait sur l'Histoire, *Thalie* sur la comédie, *Melpomène* sur la tragédie, *Erato* sur la poésie légère, *Calliope* sur l'épopée, *Uranie* sur l'astronomie, *Polymnie* sur l'éloquence et la poésie lyrique, *Terpsichore* sur la danse, *Euterpe* sur la musique. D'où le mot musique en grec «mousiké», «l'art des Muses».

« VOILÀ UNE PERSONNE QUI, SOUS L'INFLUENCE DE VÉNUS, EST ATTIRÉE PAR TOUT CE QUI TOUCHE À LA TRADUCTION EN COULEURS DES ÉMOTIONS ET DES COURANTS ÉTHÉRIQUES. TRÈS EXACTEMENT, LORSQUE L'ENTITÉ OBSERVE LA COULEUR D'UNE FLEUR DE PENSÉE, ELLE TROUVE LE DIVIN DANS LA COULEUR, DANS L'HARMONIE, DANS LE TON, DANS LA MUSIQUE — COMME SI ELLE ENTENDAIT LA VOIX DES SPHÈRES. »

(Il s'agit de la musique des sphères célestes, chère à Pythagore, dont nous reparlerons plus loin.)

« C'EST POURQUOI BEAUCOUP DE SES PROCHES PENSENT QUE CETTE ENTITÉ N'A PAS LES PIEDS SUR TERRE. POURTANT, GRÂCE À SON INTÉRÊT POUR TOUTES CES CHOSES, L'ENTITÉ A BEAUCOUP À APPORTER, PAR LE MOT ÉCRIT OU PARLÉ, EN POÉSIE OU EN PROSE. SA VOIX POURRA ÊTRE ENTENDUE PENDANT DES SIÈCLES.

« L'ENTITÉ PEUT AUSSI APPORTER SA CONTRIBUTION DANS LE DOMAINE DE LA COULEUR EN PEINTURE ; OU DANS UNE MUSIQUE QUI TOUCHERAIT TOUS CEUX QUI DÉSIRENT SE BRANCHER SUR LA MUSIQUE DES SPHÈRES, OU DE LA NATURE (...) ».

« Combien de fois ai-je été une artiste ? »

« VOYEZ CE QUI VOUS A ÉTÉ INDIQUÉ. UNE ARTISTE DE BIEN DES MANIÈRES DIFFÉRENTES, CAR L'ENTITÉ SERAIT AUSSI DOUÉE EN TANT QU'ARTISTE POUR ÉCRIRE UN LIVRE, QUE POUR PEINDRE UN TABLEAU. CAR, DANS LES VIES ANTÉRIEURES, ELLE S'EST APPLIQUÉE À L'ÉTUDE DE LA NATURE. QU'ELLE CONTINUE ! »

(Lecture 3706-2)

Les aptitudes musicales viennent toujours de vies antérieures au contact de la Nature, où l'« entité » a pu écouter le chant des créatures :

« CETTE EXPÉRIENCE DE VIE LUI A DONNÉ AUSSI DES DONS POUR LA MUSIQUE ; POUR UNE MUSIQUE DONT L'ESSENCE PROVIENT DES ACTIVITÉS DE LA NATURE. »

(Lecture 2581-2)

Une autre consultante vivait dans la campagne romaine, au temps des persécutions contre les premiers chrétiens :

« L'ENTITÉ ÉTAIT BERGÈRE DANS LES COLLINES AU-DELÀ DE LA VILLE [1] (...) ; ET DANS CE SÉJOUR (sur la Terre), L'ENTITÉ SAVAIT TRÈS BIEN JOUER DU PIPEAU. AUJOURD'HUI, L'ENTITÉ AURAIT PU ÊTRE MUSICIENNE, FLÛTISTE OU CLARINETTISTE, OU JOUER DE N'IMPORTE QUEL INSTRUMENT DÉRIVÉ DU ROSEAU, QUI ÉVOQUERAIT LES FORÊTS PROFONDES, LA VIE AU GRAND AIR (...), LES GAMBADES DES AGNEAUX ET DES CHÈVRES, ET TOUT CE QUI SUR LA TERRE (...) CHANTE LA GLOIRE DES CRÉATIONS DE L'ESPRIT DU DIEU UNIQUE. »

(Lecture 683-1)

Le don d'écrire vient également d'anciennes vies sous l'influence de la Nature :

« DANS L'INCARNATION ACTUELLE DE L'ENTITÉ, NOUS TROUVONS CET AMOUR DE LA NATURE, CET AMOUR DU GRAND AIR, QUI EST DEVENU PARTIE INTÉGRANTE DE SA PERSONNALITÉ. ET CE DON DE DÉCRIRE LA NATURE PEUT ÊTRE UNE VOIE POUR ELLE. »

« Est-ce que les arbres influencent l'inspiration de l'écrivain ? »

« OUI, ILS L'INFLUENCENT — CHEZ VOUS ET CHEZ LA PLUPART DES GENS ! »

(Lecture 949-13)

---

1. LA VILLE, avec un grand V, c'est Rome, la Ville par excellence, « Urbs » comme disaient les Latins avec une majuscule !

LE VÉRITABLE ARTISTE EST BRANCHÉ SUR LE SPIRITUEL

Il est certain, pour prendre un exemple, que l'on ne peut pas être danseur sans être musicien dans l'âme : comment traduire les harmonies célestes avec son corps, si on ne les perçoit pas ?

« TOUT CE QUE L'ENTITÉ DOIT APPRENDRE À MAÎTRISER DANS LA VIE PRÉSENTE — ET COMMENT —, NOUS AVONS VU QUE CELA DÉPENDRA BEAUCOUP DE SON APPRENTISSAGE ; L'ENTITÉ, JUSQU'ICI, Y A TRÈS PEU MIS DE PENSÉE SPIRITUELLE. OR CELLE-CI EST LA BASE MÊME DE TOUT CHEMINEMENT (ARTISTIQUE), QU'IL S'AGISSE D'UNE CARRIÈRE DE DANSEUR OU DE MUSICIEN. »

(Lecture 2857-1)

Le véritable artiste, dit Cayce, est un être spirituellement branché. Et plus il travaillera à progresser dans une vie spirituelle, meilleur il sera :

« CETTE ORIENTATION SPIRITUELLE NE DEVRAIT PAS ÊTRE NÉGLIGÉE DANS VOTRE VIE : ELLE DEVRAIT ÊTRE LA BASE DE TOUTE EXPRESSION HUMAINE DANS UNE VIE TERRESTRE. »

(Même Lecture)

Le talent de l'artiste est l'expression des vibrations du corps spirituel, qu'il soit musicien, ou danseur, ou quoi que ce soit d'autre :

« COMME CHEZ CELUI QUI, DANS UNE COMPOSITION MUSICALE, S'EST APPLIQUÉ À TROUVER LE TON JUSTE, LE DÉTAIL PARFAIT, IL Y A UNE EXPRESSION DE L'ÂME PAR LE GESTE MÉCANIQUE. ET C'EST SEULEMENT LORSQU'ON ARRIVE À L'ACCORD PARFAIT, QUI VIENT DE L'ÂME, QUE L'ON PEUT ÊTRE PARFAITEMENT COMPRIS. »

(Lecture 281-3)

LA MUSIQUE ET LA LANGUE

Dans l'art que je pratique professionnellement, qui est l'écriture, la musique joue un rôle
capital. Les gens ne le savent pas... Un texte est
comme une chanson, avec un rythme, une mélodie intérieure. Si l'écrivain ne les «entend» pas,
son texte est illisible. Il y a quelques années, un
exquis vieux monsieur, un cousin, vint me trouver avec un manuscrit : — «Pourriez-vous me
dire pourquoi aucun éditeur jusqu'ici n'a voulu
me publier? J'ai toujours été "recalé"!» Et de me
montrer la plus jolie collection de lettres de
refus que j'ai jamais vue (mais d'une extrême
courtoisie, parce que le cousin était un personnage connu, un V.I.P, à traiter avec les plus
grands égards!). Aucun éditeur ne formulait vraiment la raison de son manque d'enthousiasme.
Je pris le manuscrit, en lus les deux premières
pages... et pas plus : impossible d'aller plus loin!
Ces phrases chaotiques qui s'entrechoquaient
sous mes yeux étaient il-li-si-bles. Migraine
garantie à la page 3. J'avais beau me forcer, rien à
faire. J'aurais tant voulu donner une réponse
encourageante à ce charmant vieux gentil-
homme. Je me décidai à lui dire la vérité :
— Cher cousin, votre livre n'est pas publia-
ble...
— Je ne vois pas du tout ce que vous voulez
dire.
— Il y manque la musique!
— Je ne comprends pas.
— Je vais vous lire les premières phrases de la
première page : aucune ne retombe sur ses pieds,
comme disent les poètes. Ça ne peut pas marcher, ça boite, ça claudique... Écoutez!...»
Et je lui lis à haute voix ses phrases bancales
qui se cassaient la figure dès la ligne de départ.

— Mais c'est du français parfaitement correct !
— Tout à fait ! Seulement voilà : il y manque le rythme. Je suis sûre qu'aucun lecteur d'aucune maison d'édition n'a pu dépasser la page 3...
— Mais vous n'y connaissez rien, chère amie. C'est le récit de toute ma vie, de mes trouvailles de génie, de mes prodigieux exploits, de ma brillante réussite en affaires...
— Croyez, cher cousin, que j'ai beaucoup d'admiration pour votre magnifique carrière. Mais voilà bientôt trente ans que je travaille dans le signe écrit, et je m'y connais un peu. Je maintiens que vous ne trouverez jamais un éditeur pour vous publier. Prenez donc un écrivain professionnel pour vous rewriter tout ça...
— Un nègre ? Jamais ! protesta le cousin, (raciste...).
Oui, l'écriture est musique, et l'écrivain musicien. Car le matériau que nous utilisons, la langue, porte en elle des vibrations très spécifiques :

« PEU DE GENS RÉALISENT QU'IL N'EST PAS INDIFFÉRENT DE PARLER FRANÇAIS, OU JAPONAIS, OU SANSCRIT, OU DE BARAGOUINER L'ESPAGNOL, C'EST-À-DIRE DE VENIR D'UN PAYS PLUTÔT QUE D'UN AUTRE. CAR CES LANGUES ONT CHACUNE LEUR VIBRATION, ELLES ÉVOLUENT SOUS L'INFLUENCE DE MOTIVATIONS TRÈS DIVERSES. »

(Lecture 706-1)

Les langues appartiennent aux peuples, qui sont, comme les individus, la résultante d'une longue histoire karmique. Le parler de chaque langue modifie la géométrie intérieure de la bouche, d'où une modification du son émis. Les langues sont, dit Cayce,

« COMME L'ENTITÉ ELLE-MÊME, INFLUENCÉES PAR DES ÉMOTIONS QUI VIENNENT DE SÉJOURS ASTRAUX, ET DE SÉJOURS

DANS LA MATIÈRE[1] : ET C'EST TOUT CELA QUI CONSTITUE L'EXPÉRIENCE POSITIVE DE L'ENTITÉ ».

(Même Lecture)

Mes lecteurs s'imaginent souvent que c'est simple, le métier d'écrivain : tous les mots sont *déjà* dans le dictionnaire, n'est-ce pas ? Il suffit d'aller les y chercher, puis de les aligner à la queue-leu-leu sur une page blanche ! La réalité est un tout petit peu moins évidente. Il y a une magie dans le mot, une charge émotionnelle, qui en fait un détonateur, ou un messager spirituel. C'est cela qui fait la puissance des mantras, dont nous reparlerons plus loin.

L'Évangile de Jean commence par les mots fameux *« In principium erat Verbum » : « Au commencement était le Verbe ». « Ce mot (en grec "Logos") pourrait être mieux traduit par la "Parole" ou le "Mot". Mais d'autres, peut-être plus avisés, pensent que la meilleure traduction de "Verbum" ou de "Logos" serait le "son" ou le "chant". Ils appuient leur argumentation sur le fait que, de tradition immémoriale, le Créateur était tenu pour un chant infini, et que la Création devrait être considérée comme une cristallisation de ce chant. Dès lors s'explique la pensée de Pythagore, selon qui la structure de la musique permettrait, et suffirait, à expliquer la structure de l'Univers. »*

(Roger J.V. Cotte, op. cit. p. 11.)

C'est tout à fait dans la pensée de Cayce. Notre Terre est née du chant de l'Univers. Voilà pourquoi tout ce qui est dans la Nature s'exprime par un chant, que perçoivent les âmes qui vivent à

---

1. « SÉJOURS DANS LA MATIÈRE » : incarnations sur la Terre, dans le langage très spécial qu'emploie Cayce. « SÉJOURS ASTRAUX » : stages que fait toute âme sur les étoiles et les planètes, entre deux vies terrestres, selon Cayce.

son contact. Tous ces chants forment une sorte de symphonie, qui est absolument vitale pour l'espèce humaine :

« CAR LA NATURE DANS SON CHANT — COMME LES OISEAUX, COMME LES ABEILLES QUI JOUENT DE LA MUSIQUE POUR LEUR CRÉATEUR — ONT CONTRIBUÉ À LA CRÉATION DE L'HOMME. »

(Lecture 5265-1)

Le malheureux qui habite aujourd'hui une grande métropole a perdu le sens de sa relation à la Nature. C'est pour cela qu'il est si mal dans sa peau... Mais il peut réapprendre à écouter la musique de l'Univers, celle des astres, celles des créatures terrestres... C'est ce que nous allons voir dans le prochain chapitre.

II

LA MUSIQUE
DE LA NATURE

Pour Cayce, la musique des hommes devrait être un écho de la musique de la Nature et un écho de la musique des sphères célestes. Notre musique devrait exprimer l'unité de l'Homme avec les autres règnes de la Nature, et son unité avec les Forces cosmiques.

ALLÔ! ICI, LA VOIX DES ÉTOILES...

Car elles chantent, oui. La musique des sphères, chère à Pythagore, est une réalité. Le grand public, qui a vu le film *2001, Odyssée de l'Espace*, s'est familiarisé avec cette idée, que les corps célestes glissent sur leurs orbites avec des vibrations sonores qui créent une musique cosmique:

«Parfois, durant ses veilles solitaires sur la passerelle de contrôle, il écoutait le chant des radiations. Il augmentait le volume, jusqu'à ce que la pièce fût emplie de

rugissements, de craquements, et de sifflements. Sur ce fond, à intervalles réguliers, se détachaient des sons aigus...»

(Arthur C. Clarke et Stanley Kubrick,
2001, Odyssée de l'Espace, 1968.)

Les images du film tiré du livre sont soutenues par un remarquable accompagnement musical (au synthétiseur), qui traduit très bien les lignes que je viens de citer. La musique des sphères célestes, Cayce va en parler beaucoup — à une époque où personne n'y pense plus, où la notion même en paraît tout à fait farfelue.

Il y a cent ans, il était de bon ton de se moquer de Pythagore. Le grand maître grec enseignait que les sphères du Cosmos émettent de la musique. Musique divine, merveilleuse, «*qu'il s'efforçait de surprendre en se promenant de nuit dans la campagne*». (Jean Laloup, *Dictionnaire de littérature grecque et latine*, Éditions Universitaires, p. 549).

C'est exactement le conseil que donne Cayce, qui s'exprime beaucoup comme Pythagore :

«AUX PREMIÈRES LUEURS DE L'AUBE, ALORS QUE LE VASTE MONDE EST ENCORE TRANQUILLE, ENTRE EN MÉDITATION : TU POURRAS PERCEVOIR LA MUSIQUE DES SPHÈRES CÉLESTES, ET LES ÉTOILES DU MATIN QUI CHANTENT À LA GLOIRE DU JOUR QUI VA NAÎTRE.»

(Lecture 440-4)

Dans la journée, les bruits ambiants empêchent de percevoir cette musique. C'est pourquoi Cayce conseille de l'écouter à l'aube, ou bien le soir, loin du tintamarre de la ville :

«PENSE UN MOMENT À LA MUSIQUE QUE FONT LES VAGUES EN DÉFERLANT SUR LE RIVAGE : PENSE AU CONCERT QUE DONNE LA NATURE POUR ACCOMPAGNER LA POINTE DU JOUR ;

34

À LA MUSIQUE DU CRÉPUSCULE, LORSQU'À LA NUIT TOMBANTE, BOURDONNENT LES INSECTES.»

(Lecture 2581-2)

La très sérieuse *Histoire musicale du Moyen Âge* de Jacques Chailley, publiée aux Presses Universitaires de France en 1950, rapporte avec un certain scepticisme ce courant de pensée très ancien sur le «chant» des astres, enseigné par Pythagore. Celui-ci, qui a fasciné toute l'Antiquité grécolatine, reste mystérieux. On n'est même pas très sûr de sa date de naissance (572 avant Jésus-Christ? A Samos). On sait qu'il mourut assassiné en 490, après avoir fondé une brillante école de philosophie à Crotone (en Calabre). Albert Slosman raconte, sous une forme romancée, ses études de prêtre en Égypte pendant vingt-deux ans, où il aurait appris tous les secrets des initiés — pour ensuite les transmettre à la Grèce (*La Vie extraordinaire de Pythagore*, Éd. Robert Laffont). On a perdu la plupart de ses écrits, sauf le *Biblion*[1], mais on connaît son enseignement par ses disciples (enthousiastes!). Bien des principes de Pythagore ont été vérifiés dans les temps modernes: il enseignait, par exemple, que la Terre était ronde, et c'est seulement à la Renaissance que la Science lui rendra justice. Tout ce que j'ai pu lire sur les enseignements de Pythagore ressemble extraordinairement aux lectures de Cayce... Ce qui n'est pas très étonnant, puisqu'ils furent tous deux grands prêtres et initiés dans l'Égypte antique[2].

Pythagore ne fut pas le premier, ni le seul, à évoquer le «chant des astres»: après lui, une longue suite de penseurs, d'écrivains, de musiciens en parleront. Platon y fait allusion dans le récit

1. Éd. Robert Laffont.
2. Cf *L'Univers d'Edgar Cayce* Tome I, p. 193 Éd. Robert Laffont; Cayce a raconté son incarnation comme le Grand Prêtre égyptien Ra-Ta, à l'époque de la Grande Pyramide.

d'Er le Pamphylien, où celui-ci, revenant de l'autre monde, raconte

« qu'il était dans un lieu d'où l'on voit une lumière traversant tout le ciel (...). Sur chacun des cercles est assise une sirène qui tourne avec lui, en faisant entendre une seule note de sa voix, toujours sur le même ton. Mais de ces huit notes différentes (de chaque planète ou cercle) *résulte un seul effet harmonique.»* (Platon, *La République*, X). (Op. cit. p. 20)

Boèce, au vie, siècle reprend et développe cette idée, exposant en détail ce qu'il appelle la *« musica mondana »* — ou « musique des mondes ». Boèce donnera une équivalence entre les notes et les planètes :

Lune	Mercure	Vénus	Soleil	Mars	Jupiter	Saturne
Ré	Do	Si(b)	La	Sol	Fa	Mi

Comme l'on sait que chaque jour de la semaine correspond à une planète, dont il tire son nom (lundi = jour de la Lune, mardi, jour de Mars, etc.), cela revient à attribuer à chaque jour de la semaine une note de musique. *« Cette nomenclature musicale des jours de la semaine semble être d'origine égyptienne »*, dit notre auteur (op. cit. p. 21) qui se réfère à l'historien romain Dion Cassius.

Tous les initiés du Moyen Âge évoqueront la musique des mondes, et Dante Alighieri lui-même. Ronsard parlera de la *« céleste harmonie du ciel »* et Léonard de Vinci ne dédaigne pas de consacrer un chapitre de ses notes au *« frottement des cieux, s'il fait son ou non »* (op. cit. p. 21).

Au xviie siècle, le grand astronome Kepler reparlera du « chant des astres ».

Les recherches scientifiques modernes, prenant les théories de Pythagore pour hypothèse de recherche, ont donné d'intéressants résultats.

Que les astres produisent des sons que l'on peut traduire en musique:

«*Deux membres de l'Université de Yale* (Connecticut), *le professeur Willie Ruff et le géologue John Rodgers, ont entrepris de le vérifier. Aidés de Spiegel, compositeur sur ordinateur, ils ont dressé une table mathématique des positions et vitesses relatives des six planètes les plus proches du Soleil, pour une période de 80 ans. Puis ils l'ont convertie en musique au moyen d'un synthétiseur. Le résultat enregistré fut présenté à l'Université de Yale. On percevait une "musique" faite de grondements et de gémissements (...). Le chant de chaque planète était déterminé par sa vitesse en fonction de sa distance au Soleil. Il était aigu pour Mercure, sourd et parfois imperceptible pour Jupiter.»*

(Éric Muraise, *Voyance et Prophétisme*, Éd. F. Lanore, p. 122.)

La lumière du Soleil serait d'abord émise sous forme de son:

«*D'après les hypothèses de l'astronomie actuelle, (...) l'intérieur du Soleil serait un ensemble de sphères concentriques dont les couleurs se succéderaient dans l'ordre de nos arcs-en-ciel (...). Le centre du Soleil émettrait des rayons gamma, c'est-à-dire de fréquence très élevée. A notre vue, s'il était réalisable de s'y rendre, il apparaîtrait donc noir. En s'écartant du centre, (...) ces rayons baisseraient progressivement de fréquence, de telle sorte que la première couleur naissant au contact du noyau central noir serait le violet, la couleur visible dont la fréquence de vibration est la plus élevée; la dernière avant la couche de gaz opaque, le rouge; puis l'infrarouge, qui donnerait la chaleur et la turbulence de cette zone obscure, dont les bulles monteraient en surface, puis éclateraient, produisant des sons d'une telle intensité que l'onde de compression atteindrait une température d'environ trois mille degrés, la rendant lumineuse. La lumière que nous recevons du Soleil est donc*

une "lumière de la deuxième génération", créée par les sons en surface du Soleil. Ce mécanisme évoque le début de l'Évangile selon saint Jean:
«Au commencement était le Verbe (...)
'«Et le Verbe était lumière...»
(Dr Francis Lefébure, *Du moulin à prière à la dynamo spirituelle,* p. 25, Éd. CDRPH, École du Dr Lefébure, 3 rue de la Chapelle, 75018 Paris.)

La science de demain rejoindra la Tradition des initiés de l'Antiquité.

L'ÉCHO DES ÉTOILES: LA MUSIQUE DE LA NATURE

Il existe une musique de la Nature terrestre, qui est en résonance avec celle des sphères, dont elle est l'écho. Les deux musiques, dit Cayce, s'harmonisent ensemble. Mais si l'on veut percevoir seulement la musique des étoiles, il faut aller l'écouter au Sahara... D'ailleurs, les amoureux du désert l'ont toujours affirmé: le Tanezrouft chante pour ceux qui savent l'écouter. Le Grand Erg et les hammadas caillouteuses «chantent» pour le caravanier. La nuit, c'est la Croix du Sud que l'on entend... La mystique du désert, c'est cela. Saint-Exupéry, Bournazel, Joseph Peyré dans *L'Escadron blanc,* Lyautey, le Père de Foucauld, toute l'épopée du fameux corps des officiers des Affaires Indigènes ont décrit la fascination qu'exerçait sur eux le Sahara. Les touareg parlent du «tambour des sables», roulements mystérieux qu'entendent les voyageurs en pleine solitude au Sahara. On l'entend mieux lorsque l'on s'est perdu dans le désert... Dans la jungle, il y a l'équivalent: «le tambour de la jungle», dont

ont parlé maints explorateurs. Au Bangladesh, il y a les fameux «canons de Barisal» («Barisal Guns») que l'on entend depuis toujours dans une région de marais côtiers déserts (et bien avant l'apparition des «bangs» supersoniques!). Le phénomène est connu aussi chez nous, par exemple dans la Mare de Saint-Coulban, à Saint-Malo. Animaux, plantes et minéraux ont la faculté de «répondre» à la musique des sphères... Il n'y a vraiment que l'Homme pour l'ignorer. Cayce en parle très souvent:

«PENSE À TOUS CES RÈGNES DE LA NATURE QUI UNISSENT LEURS CHANTS POUR LOUER CETTE ÉNERGIE CRÉATRICE DE TOUT CE QUI EST. ÉNERGIE QUI DONNE À LA NATURE SA CONSCIENCE D'EXISTER, C'EST-À-DIRE LA CONNAISSANCE DE SON ESSENCE. À TOUT CELA, APPORTE TA PROPRE LOUANGE, EN HARMONISANT TA MUSIQUE AVEC LE CHANT DES SPHÈRES CÉLESTES.»

(Même Lecture)

Mais le véritable musicien, lui, est capable de l'entendre. Cyril Scott, parlant de son amie Nelsa Chaplin, musicienne et médium, dit que par elle

«un coucher de soleil devient aussi audible que "visible". (La Musique, son influence secrète à travers les âges, p. 33).

Cette remarquable médium transmettait à Cyril Scott les enseignements du Maître Koot Hoomi Lal Singh, très grand initié tibétain qui vivait alors dans les Himalayas. Nelsa Chaplin *«rêvait de transcrire en harmonies terrestres quelques échos de ces chants célestes avec lesquels elle était en communion étroite».* (op. cit., p. 35). Mais une vie matériellement difficile ne lui en laissa pas le temps. Elle avait des malades à guérir (par la musique et par la couleur), et transmettait à Cyril Scott les messages de Koot Hoomi. Celui-ci

disait avoir été Pythagore dans une vie antérieure. Les grands maîtres spirituels, qui enseignent les hommes, ont chacun leur spécialité ;
Koot Hoomi, c'était la musique.

Mais donnons de nouveau la parole à Cayce,
qui reprend la théorie égyptienne du corps
humain comme temple de Dieu :

« CAR TON CORPS EST VÉRITABLEMENT LE TEMPLE DU DIEU
VIVANT. (...) TU PEUX L'ATTEINDRE À TRAVERS LA MUSIQUE, À
TRAVERS L'ART. NE TE LAISSE PAS AFFAIBLIR PAR TES ADVER-
SAIRES, MAIS RESTE ABSOLUMENT EN RÉSONANCE AVEC LA
MUSIQUE DES SPHÈRES CÉLESTES, LA LUMIÈRE DES CIELS, LA
DOUCEUR D'UN CLAIR DE LUNE SUR LES EAUX ET SUR LES
ARBRES. »

(Lecture 5265-1)

Les Égyptiens bâtissaient leurs temples sur un
plan qui figurait symboliquement le corps
humain, comme on peut le voir encore à Karnak
et ailleurs. Mais ils enseignaient bien que le meilleur endroit pour approcher la présence divine
était la Nature... car on n'a pas besoin d'un bâti-
ment. Celui-ci n'a en réalité qu'une fonction
sociale. Cayce insiste très souvent sur ce contact
avec la Nature (dont notre civilisation essaye de
nous éloigner par le béton et l'électronique mal
employés !) :

« IL Y A LA MUSIQUE DES SPHÈRES CÉLESTES, IL Y A VRAIMENT
LA MUSIQUE DE TOUT CE QUI SE DÉVELOPPE DANS LA NATURE.
(...) ÉTUDIEZ-LES, MÉDITEZ LÀ-DESSUS, QUE CELA VOUS
CONDUISE À LA DÉCOUVERTE SPIRITUELLE DE CES ÉNERGIES
QUI INFLUENT SUR L'HOMME D'AUJOURD'HUI. AINSI L'ENTITÉ
POURRA AIDER BIEN DES GENS. »

(Lecture 949-12)

Se guérir soi-même, puis guérir les autres, en
se rebranchant sur les énergies cosmiques, tel est
l'objectif de Cayce.

L'expérience de communiquer avec le divin est impossible si l'on n'a pas vécu dans la Nature et écouté sa musique:

«CAR TANT QU'IL N'A PAS ÉCOUTÉ LA MUSIQUE DE LA VAGUE, LE MURMURE DES EAUX, DU CIEL, DES OISEAUX, DE LA NATURE ELLE-MÊME, AUCUN ÊTRE HUMAIN N'A PAS ENCORE RÉUSSI, ET NE RÉUSSIRA, À FAIRE L'EXPÉRIENCE D'ÉLEVER SON ÂME.»

(Lecture 949-13)

Dans ses célébres *Visions*[1], Anne-Catherine Emmerich disait que la Nature lui avait servi de catéchisme; que tout ce qu'elle avait appris de valable dans sa jeunesse, elle l'avait appris dans les champs, en gardant les troupeaux. C'est un très grand drame que les paysans de chez nous n'apprennent plus à aimer la Nature. Ils ne la voient plus qu'en termes de rentabilité et la massacrent, avec insouciance. Et que je te bétonne, et que je te pulvérise... (Et après nous, le Déluge!)[2]. Car c'est l'homme des villes qui est donné en modèle, dont le paysan a honte d'être le cousin cul-terreux. Pauvre homme des villes, l'abominable «Parisien», qui, lui, regrette la Nature qu'il a perdue... Il y avait là un bonheur quotidien que le Crédit Agricole ne peut pas «saisir» dans ses ordinateurs:

«DANS CETTE COMMUNION AVEC LA NATURE, ELLE PERCEVAIT LA VOIX DES SPHÈRES CÉLESTES, DANS LE SPECTACLE DU SOLEIL COUCHANT, DANS LES COULEURS DU CRÉPUSCULE, DANS L'APAISEMENT DES VENTS. ELLE VOYAIT TOUTES LES ACTIVITÉS DE LA NATURE TÉMOIGNER DE CETTE UNITÉ, DE CETTE INTIMITÉ (avec le divin), QUE RECHERCHENT LE CŒUR ET L'ÂME (des Hommes); ET QUI TROUVENT LEUR PLUS HAUTE

---

1. Tequi, Paris, éditeur.
2. Car «Déluge il pourrait bien y avoir»... Cf *Prophéties d'Edgar Cayce*, Éd. du Rocher, 1989.

EXPRESSION DANS L'AMOUR ET LA DOUCEUR ENVERS SON PRO-
CHAIN.»

(Lecture 1581-2)

Dans la Nature, chaque espèce animale, végétale ou minérale, vibre sur une longueur d'onde bien précise — et chante son chant à elle, tout à fait spécifique :

« IL Y A UNE MUSIQUE POUR LA CROISSANCE DE LA ROSE, UNE MUSIQUE POUR CHAQUE PLANTE QUI PORTE SA COULEUR, ET QUI FLEURIT POUR L'ÉDIFICATION, LA SANCTIFICATION MÊME, DE SON ENVIRONNEMENT.»

(Lecture 949-12)

Chaque espèce est définie par des nombres précis — on le sait aujourd'hui sur le plan scientifique.

L'amour du grand air est à encourager — l'air conditionné est vraiment une invention diabolique! Dans les pays tropicaux, passe encore. Mais dans les pays tempérés comme chez nous, c'est vraiment un crime. On ferait mieux d'apprendre aux jeunes à s'adapter à l'air ambiant, aux saisons, au temps qu'il fait. Cayce a parlé à plusieurs de ses consultants de vies anciennes, au grand air, dont ils ont encore la nostalgie. De ces vies «vertes» ils tiraient le meilleur de leurs aptitudes actuelles :

« SI NOUS OBSERVONS LE CARACTÈRE ACTUEL DE L'ENTITÉ, NOUS Y RETROUVONS CE BESOIN SI FORT DE VIE AU GRAND AIR, CET AMOUR DE LA NATURE, TRADUIT DANS LA VOIX ET LES SONS; QUE CE SOIT LE BRUIT DES VAGUES SUR LE RIVAGE, LE MURMURE DU VENT DANS LES PINS, LA CHANSON DES OISEAUX, C'EST-À-DIRE LA MUSIQUE DE LA NATURE ET DES SPHÈRES CÉLESTES TOUT ENSEMBLE.»

(Lecture 2450-1)

Cayce conseille fortement à ces consultants de retourner au grand air pour y retrouver cette musique de la Nature:

«L'ENTITÉ S'APPELAIT ALORS AH-HAI[1]. DANS SON EXPÉRIENCE DE VIE ACTUELLE, NOUS TROUVONS QUE C'EST EN SE BRANCHANT SUR LA MUSIQUE DES SPHÈRES CÉLESTES, ET SUR LES VOIX MYSTÉRIEUSES DE LA NATURE, (...) QUE L'ENTITÉ TROUVERA LE MIEUX À S'EXPRIMER PAR SES ACTIVITÉS.»

(Lecture 933-1)

De toute façon, ces grandes villes monstrueuses disparaîtront. Cayce a prophétisé qu'il y aura à la fin du siècle un retour à la Nature[2], bien obligé — et bienvenu...!
Les artistes seront d'autant meilleurs qu'ils seront à l'écoute de la musique céleste et de la musique de la Nature qui les entoure — et d'autant meilleurs qu'ils l'auront déjà perçue dans une vie antérieure:

«LÀ, L'ENTITÉ ÉTAIT PROCHE DE LA NATURE. D'OÙ CE BESOIN INNÉ D'Y RETOURNER, DE LA CONNAÎTRE, D'Y AVOIR DES ACTIVITÉS. AINSI, NOUS TROUVONS QUE LE CHANT DES OISEAUX, DU RUISSEAU, DES COMMUNAUTÉS D'ANIMAUX SAUVAGES, DE TOUTE LA NATURE DANS SON ÉPANOUISSEMENT, EST LA MEILLEURE DES MUSIQUES POUR L'ENTITÉ, DANS SON EXPÉRIENCE DE VIE ACTUELLE.

«(...) PARTOUT, L'ENTITÉ RESSENT PROFONDÉMENT QUE L'EXPRESSION (musicale) D'UN POÈME OU D'UNE EXPÉRIENCE VÉCUE, QUELLE QU'ELLE SOIT, PAR UN ORCHESTRE, N'EST JAMAIS QU'UNE COPIE, C'EST-À-DIRE UNE IMITATION DE LA RÉALITÉ.»

(Lecture 2830-2)

1. Cayce donne à ses consultants le nom qu'ils portaient dans chaque vie antérieure décrite.
2. Voir *Les Prophéties d'Édgar Cayce*, Éd. Le Rocher, 1989, où j'analyse les lectures prophétiques sur les dix prochaines années.

LES SÉJOURS DANS LES ÉTOILES SONT ACCOMPAGNÉS DE MUSIQUE

Cayce évoque les fameux « SÉJOURS PLANÉTAIRES », dont j'ai déjà parlé[1], séjours que nous faisons entre deux incarnations terrestres, et après la dernière :

« ... AUSSI LONGTEMPS QU'UNE ENTITÉ RESTE DANS LES LIMITES DE CE QU'ON APPELLE LA TERRE, ET LE SYSTÈME SOLAIRE AUQUEL APPARTIENT LA TERRE, ELLE S'ÉPANOUIT DANS LE CADRE DE SÉJOURS PLANÉTAIRES ; ET CELA, DE SPHÈRE EN SPHÈRE. ET LORSQU'ELLE A FINI D'ACCOMPLIR CE CYCLE, ELLE COMMENCE, PORTÉE PAR LA MUSIQUE DES SPHÈRES, À PROGRESSER VERS ARCTURUS ET L'ÉTOILE POLAIRE, PUIS DE CES SÉJOURS VERS D'AUTRES ESPACES EXTÉRIEURS À NOTRE GALAXIE. »

(Lecture 641-4)

J'ai traduit « espaces extérieurs à notre galaxie » l'expression de Cayce « OUTER SPHERE », qui désigne par là les mondes stellaires, qui sont au-delà des limites de notre système solaire. La descente sur la Terre, après un séjour planétaire ou stellaire, a des buts bien précis. Par exemple :

« L'ENTITÉ VINT SUR TERRE DANS LE BUT SUIVANT : ÉCLAIRER LA VIE, L'EXPÉRIENCE ET LE CŒUR DES FAIBLES ET DES SOUF- FRANTS ; AIDER CEUX QUI TRÉBUCHENT DANS L'OBSCURITÉ, ET CHERCHENT LA LUMIÈRE — EN LEUR MONTRANT TOUTE CETTE BEAUTÉ QUI SE MANIFESTE DANS LA MUSIQUE DES SPHÈRES CÉLESTES, DANS L'ART, DANS L'ILLUMINATION DE L'ÂME QUI RETROUVE L'UNITÉ AVEC LA NATURE ; DANS L'AMOUR, L'HAR- MONIE, LA GRÂCE, L'ESPOIR, LA FOI — TOUT CE QUI ÉLÈVE

---

1. Dans le Tome I de « *L'Univers d'Edgar Cayce* », (Éd. Robert Laffont pp. 360-361).

L'HOMME INTÉRIEUR POUR LE METTRE EN RÉSONANCE AVEC CELUI QUI A DIT: "JE VOUS DONNE UN NOUVEAU COMMANDEMENT: AIMEZ-VOUS LES UNS LES AUTRES."»

(Lecture 827-1)

On devrait en parler aux vieillards, aux mourants, pour les accompagner jusqu'au seuil du voyage. Leur dire qu'ils vont s'envoler vers des mondes merveilleux de musique et de couleurs... Certains mourants font une N.D.E. («near death experience») sous forme musicale. Ce sont des choses extraordinaires — (et réconfortantes!) — dont on ose enfin parler aujourd'hui.

LA MUSIQUE «TRANSCENDANTALE»

C'est ainsi que l'on appelait autrefois les musiques «célestes» qu'entendent assez souvent les mourants. On connaît par exemple le cas de Goethe:

«Le 22 mars 1832, vers 10 heures du soir, deux heures avant le décès de Goethe, une voiture s'arrêta devant sa demeure; une dame en descendit (...), c'était la comtesse V....., admiratrice enthousiaste du poète (...). Pendant qu'elle montait l'escalier, elle s'arrêta tout à coup, en écoutant, puis questionna le domestique: "Comment donc? De la musique dans cette maison? Mon Dieu, comment peut-on faire de la musique dans un jour pareil, ici!" Le domestique écoutait à son tour, mais il était devenu pâle et tremblant, et n'avait rien répondu. La comtesse, en attendant, avait traversé le salon... Frau von Goethe, belle-fille du poète, alla à sa rencontre; les deux femmes s'abandonnèrent dans les bras l'une de l'autre, éclatant en larmes. La comtesse demanda: "Mais dis-moi, Ottilie, pendant que je montais l'escalier, j'ai

entendu de la musique chez vous: pourquoi?..." — "Tu l'as donc entendue aussi", répondit Frau von Goethe, "c'est inexplicable! Depuis l'aube d'aujourd'hui, une musique mystérieuse retentit de temps à autre, en s'inscrivant dans nos oreilles, dans nos cœurs, dans nos nerfs..."

Juste à ce moment, résonnèrent d'en haut, comme s'ils venaient d'un monde supérieur, des accords musicaux suaves, soutenus, qui s'affaiblirent peu à peu, jusqu'à s'éteindre. Simultanément, Jean, le fidèle valet de chambre, sortait de la chambre du mourant, en proie à une vive émotion (...): "Avez-vous entendu, madame? Cette fois, la musique venait du jardin et résonnait juste à la hauteur de la fenêtre." — "Non, répliqua la comtesse, elle venait du salon à côté!" On ouvrit les croisées, et on regarda dans le jardin. Une brise légère et silencieuse soufflait à travers les branches nues des arbres; on entendait au loin le bruit d'un char qui passait sur la route; mais on ne découvrit rien qui pût déceler l'origine de la musique mystérieuse. Alors les deux amies entrèrent dans le salon, d'où elles pensaient que dût provenir la musique; mais sans rien remarquer d'anormal. Pendant qu'elles étaient encore occupées par leurs recherches, une autre série d'accords merveilleux se fit entendre. Cette fois, ils semblaient venir du bureau.

La comtesse, en rentrant dans le salon, dit: "Je crois ne pas m'abuser: il s'agit d'un quatuor joué à distance, et dont nous parviennent, de temps en temps, des fragments". Mais Frau von Goethe remarqua à son tour: "Il m'a semblé, au contraire, entendre le son proche et net d'un piano. Ce matin, je m'en suis convaincue, au point d'envoyer le domestique auprès des voisins, en les priant de vouloir bien ne pas jouer du piano, par respect pour le mourant. Mais ils ont répondu tous de la même façon: qu'ils savaient bien dans quel état se trouvait le poète, et qu'ils étaient trop consternés pour songer à troubler son agonie en jouant du piano."

Tout à coup, la musique mystérieuse retentit encore, délicate et douce; cette fois, elle semblait prendre naissance dans la pièce même; seulement pour l'un, elle *paraissait être le son d'un orgue, pour l'autre un chant choral, pour le troisième enfin, les notes d'un piano.*

Rath S., qui, à ce moment-là, signait le bulletin médical avec le Docteur B. dans l'entrée, regarda avec surprise son ami, en lui demandant: "c'est une concertina qui joue?" — "Il paraît, répondit le docteur, peut-être quelqu'un dans le voisinage, qui songe à s'amuser."

— "Mais non, répliqua Rath S., celui qui joue est sans doute dans cette maison."

Ce fut ainsi que la musique mystérieuse continua à se faire entendre, jusqu'au moment où Wolfgang von Goethe exhala le dernier soupir; parfois en retentissant avec de longs intervalles, en d'autres cas après de très courtes interruptions, un peu dans une direction, un peu dans une autre, mais paraissant toujours venir de la maison même, ou tout près d'elle.

Toutes les recherches et enquêtes accomplies pour résoudre le mystère sont restées sans résultat.»

Ces lignes sont tirées du livre passionnant d'Ernest Bozzano: Phénomènes psychiques au moment-de la mort, Éditions Jean Meyer (B.P.S., Paris 1927, pp. 227-228-229).

Il est arrivé une histoire semblable dans ma propre famille: ma tante Renée Viéé terminait sa vie dans un hospice pour vieillards. Aveugle, à moitié sourde, impotente, elle était quasiment alitée et presque oubliée, à la fois de sa famille et du personnel de l'hospice. Comment supportait-elle cette atroce déchéance et cette solitude? Quand j'allais la voir, elle était toujours souriante.

— Tu n'entends pas, me disait-elle, ma sœur Lily qui chante?

Et Renée, de sa voix cassée, chantait un air d'opéra.

— Tu n'entends pas Lily chanter *La Traviata*?

Cette sœur, morte depuis quelques mois, était une brillante musicienne.

(Je viens d'une famille d'artistes, où tout le

monde chantait, composait, dansait ou dessinait!)

Mon mari me disait à mi-voix: «Elle a perdu la tête.» Mais non. La tante enchaînait en nous parlant de notre vie, avec beaucoup de bon sens et même une surprenante finesse. Elle avait bien toute sa présence d'esprit... sauf, croyions-nous, pour ces concerts permanents qu'elle disait entendre.

Ce n'est que longtemps après sa mort que je suis tombée «par hasard» sur le livre d'Ernest Bozzano, que je viens de citer, parlant des musiques «transcendantales», entendues parfois au chevet des mourants. Phénomène qui n'est pas aussi rare qu'on le croit: il semble que ces harmonies «célestes» puissent être entendues également dans d'autres circonstances que la mort.

Voici un second récit, tiré du même ouvrage (page 192). Il s'agit d'une femme compositeur, madame Nita O'Sullivan Beare, qui raconte:

«Il y a quelques années, je me trouvais à Paris, et un soir, à la tombée de la nuit, je me suis rendue à l'église de la Madeleine. Il n'y avait pas plus d'une douzaine de fidèles, et je me suis agenouillée à côté d'une femme du peuple, qui avait un panier de légumes. Tout à coup, j'ai entendu un chant très mélodieux, composé de voix seules; mais je ne parvenais pas à en déterminer la provenance. C'était une mélodie qui semblait se former sur place et s'élever en d'amples volutes harmoniques, remplissant l'ambiance sacrée; une voix très belle, pleine de sentiment, dominait les autres en prolongeant les dernières notes de chaque cadence. Ne parvenant pas à m'orienter, j'ai demandé à la femme, ma voisine, d'où venait ce chant. Elle m'a regardée avec étonnement et m'a répondu en français:

— Pardon, madame; de quelle musique parlez-vous?

— Voilà: n'entendez-vous pas des chœurs?

Elle secoua la tête en disant:

— Madame, je n'entends rien du tout!

Elle n'a pas tardé à s'en aller, et une autre femme est venue s'agenouiller près de moi. J'en ai profité pour lui adresser la même question; elle m'a répondu simplement:

— Il n'y a pas de musique.

Mais comme je continuais à entendre le même cantique, je me suis permis de demander timidement à ma voisine si, par hasard, elle n'était pas un peu dure d'oreille. Cette question sembla la blesser; elle repartit brusquement:

— Pas du tout, madame!

En attentant, le chœur continuait à retentir sous les vastes nefs de l'église. J'ai continué à écouter; ensuite je me suis empressée de regagner mon hôtel, où j'ai transcrit immédiatement les mesures principales, qui constituent le thème de ma dernière romance pour chant: Love's Fadeless Rose.»

Cayce a l'air de trouver tout naturel que l'on puisse entendre de la musique transcendantale dans la vie quotidienne, chez soi:

«QUELLE MUSIQUE ENTEND-ON DANS LE FOYER? COMME NOUS L'AVONS DÉJÀ DIT, CELUI-CI EST LE SYMBOLE DU FOYER CÉLESTE. ET SI LES ASSOCIATIONS FAMILIALES SONT VÉCUES COMME DES EXPÉRIENCES HARMONIEUSES, ELLES PEUVENT, EN RÉALITÉ, APPORTER LA MUSIQUE DES SPHÈRES AUX UNS ET AUX AUTRES, DANS LEURS ACTIVITÉS COMMUNES — AINSI QU'À TOUS CEUX QUI VIENDRONT EN CONTACT AVEC LE FOYER. CELUI-CI EST LA PLUS HAUTE RÉALISATION DE L'HOMME SUR LA TERRE!»

(Lecture 480-20)

Car il n'y a pas que les étoiles et les petits oiseaux qui chantent... Cayce parle de mystérieuses entités musiciennes, qui seraient justement celles qui donnent ces «concerts transcendantaux». Il parle souvent du «CHANT DES ANGES» et tient pour acquis que les êtres divers, qui peuplent les espaces interstellaires, font de la musique :

« CAR, COMME IL EST DIT SOUVENT, LES ANGES CHANTENT!(...)
ET CECI EST UNIVERSELLEMENT ACTIF SUR L'ÂME ET L'ESPRIT
DES HOMMES!»

(Lecture 1938-2)

Les hommes peuvent écouter et entendre ces «chœurs célestes»:

« DANS LA MUSIQUE, L'ENTITÉ TROUVE BEAUCOUP DE JOIE —
LA MUSIQUE LUI FAIT FRANCHIR LA DISTANCE ENTRE LE MEN-
TAL ET LE SPIRITUEL. ELLE LUI PERMET DE METTRE SON ÊTRE
SUR LA LONGUEUR D'ONDE DIVINE, DE TROUVER LE CONTACT
LE PLUS ÉTROIT AVEC LES ÉNERGIES DE SON MOI PROFOND;
POUR L'ENTITÉ, LES FLOTS DE MUSIQUE (...) APPORTENT AVEC
EUX LA POSSIBILITÉ DE BRANCHER SON MOI SUR LE SPIRITUEL
(...). IL SERAIT BON DE DÉVELOPPER CELA PLUS INTENSÉMENT,
DANS CETTE VIE-CI; CAR, DÈS À PRÉSENT, L'ENTITÉ ATTEINT LE
SUMMUM DE SON EXPÉRIENCE LORSQU'ELLE DONNE L'EXEM-
PLE CONCRET D'UNE ÂME QUI VIBRE À LA JOIE DES CHŒURS
CÉLESTES.»

(Lecture 115-1)

LES BERCEUSES CÉLESTES

Enfin, pour terminer cet ensemble de merveilleuses perspectives sur la musique non humaine, voici trois lectures, en un certain sens «historiques», car elles se réfèrent à une circonstance biblique exceptionnelle, où tout un canton put entendre la musique céleste... Edgar Cayce (qui parlait à des consultants dont la Bible était l'unique culture) n'aurait eu garde d'oublier Noël :

50

« ALORS (...) LES HÉRAUTS ANGÉLIQUES SE MIRENT À CHANTER (...) ET TOUS FURENT SAISIS PAR L'ÉBLOUISSANTE LUMIÈRE DE SON ÉTOILE, LORSQU'ELLE APPARUT. EN MÊME TEMPS, SE FAISAIT ENTENDRE LA MUSIQUE PLEINE DE JOIE DES SPHÈRES CÉLESTES INTERPRÉTÉE PAR LES CHŒURS DU CIEL: "PAIX SUR LA TERRE ! ET BONNE VOLONTÉ AUX HOMMES DE BONNE FOI !" »

(Lecture 5749-15)

(Ce n'est pas une erreur de la traductrice; Cayce a bien dit : « GOOD WILL TO MEN OF GOOD FAITH » — C'est une version un peu différente du classique « Paix aux hommes de bonne volonté ». Mais les deux ne s'excluent pas !)

La tradition provençale a particulièrement bien conservé l'ambiance de Noël, où les anges avaient fait entendre les concerts célestes aux bergers. Noël a toujours été, dans toutes nos provinces, une fête de la musique. Le 21 décembre, la nuit la plus longue de l'année, ouvre sur la musique des mondes invisibles, qui va ramener la lumière. C'est bien sûr, la tradition celtique du solstice d'hiver.

Expérience inoubliable pour ces bergers de Palestine :

« L'ENTITÉ FUT PARMI CEUX QUI VIVAIENT DANS LE PAYS DES COLLINES AUTOUR DE BETHLEHEM, LORSQUE LES BERGERS ENTENDIRENT LES VOIX, LES « ALLÉLUIAS », QUI VENAIENT LES AVERTIR DE LA NAISSANCE DE LEUR ROI, DE LEUR SAUVEUR. L'ENTITÉ FUT D'ABORD ÉVEILLÉE PAR CES CRIS DE JOIE TOUT AUTOUR DE LA VILLE DE BETHLEHEM. (...) TOUTE SA VIE D'ALORS EN FUT BOULEVERSÉE. IL ÉPROUVA LE DÉSIR PROFOND DE SE BRANCHER SUR CE CHANT VENU DES CIEUX, SUR CETTE MUSIQUE DES CIEUX: C'ÉTAIENT LES VIBRATIONS MUSICALES DES SPHÈRES CÉLESTES, DANS CE MOMENT OÙ TOUTE LA NATURE PROCLAMAIT CET ÉVÉNEMENT PLEIN DE JOIE DANS L'EXPÉRIENCE DES HOMMES !»

(Lecture 1487-1)

Certains d'entre nous éprouvent des nostalgies inexplicables, qu'aucun psy à lunettes n'est équipé pour comprendre (... à moins qu'il n'ait accepté la réalité des vies antérieures !). Par exemple, ce consultant :

« ... DE L'ÉPOQUE OÙ SON ÉTOILE DISPARUT, DU TEMPS DE LA FUITE EN ÉGYPTE (...), VIENT SON ÉTAT D'ÂME ACTUEL, LORSQU'IL S'ASSEOIT SEUL AU COUCHANT, ET QU'À NOUVEAU IL PERÇOIT PRESQUE LA MUSIQUE DES SPHÈRES CÉLESTES, LE CHANT DES ÉTOILES QUI SE LÈVENT AVEC LE COUCHER DU SOLEIL, TANDIS QUE LA TERRE EST APAISÉE... À CE MOMENT-LÀ, SOUVENT, LA PAIX REVIENT EN LUI, SEULEMENT TROUBLÉE PAR LE SOUCI DES TÂCHES QUOTIDIENNES. »

(Lecture 1152-3)

Que les nostalgiques se consolent : nous avons devant nous la perspective du retour du Christ Cosmique (et de Marie), (« THE SECOND COMING »), dont parle Cayce chaque fois qu'il peut[1]. Ce retour sera, d'après les prophéties, accompagné des mêmes manifestations que la venue de Jésus sur la Terre. On peut légitimement espérer (ayant fait notre plein de dysharmonie), que les chœurs célestes accompagneront ce retour...!
Comme dit encore le message du Maître Koot Houmi à Cyril Scott[2] :

« L'Instructeur du monde, le Christ, reviendra sur Terre (...) ; on a quelque raison de penser qu'Il pourrait venir à la fin du siècle. Lorsqu'Il reviendra parmi nous, ce sera pour inspirer, construire, et "renouveler toutes choses". Et c'est à la musique qu'il appartient de préparer et de faciliter Son avènement (...). Et même alors, la musique n'aura pas encore atteint les limites de ses possibilités, car nous n'avons pu jusqu'à présent, à l'aide de

---

1. *Les Prophéties d'Edgar Cayce*, le Rocher, 1989.
2. Op. cit. p. 241-242 — Message donné au début de notre siècle.

notre musique terrestre, qu'imiter le plus faible écho de la musique des sphères. Ce ne sera que plus tard qu'il nous sera donné d'accroître l'immense symphonie cosmique».

III

LA MUSIQUE
POUR PRIER ET MÉDITER

RELIER LE FINI À L'INFINI

« POUR BEAUCOUP — ET POUR CETTE ENTITÉ EN PARTICULIER
— S'EXPRIMER PAR L'HARMONIE (musicale) LUI APPORTERA CE
QUI EST LE PRIVILÈGE DE LA MUSIQUE : RELIER LE FINI À
L'INFINI. »

(C'est-à-dire à Dieu). (Lecture 1158-10)

A propos de cette expression, que Cayce répète plusieurs fois, « RELIER LE FINI À L'INFINI », il faut se souvenir du sens latin originel du mot « religion » : ce qui relie l'Homme aux dieux. Il est désolant de constater que les religions actuelles ont plus souvent pour effet de séparer l'Homme de Dieu — mais il nous reste la musique... Dieu merci ! Je crois à ce propos que l'on a eu bien tort d'abandonner le chant grégorien. A l'origine, il répondait tout à fait aux lectures de Cayce que je viens de donner.

Lorsque Grégoire le Grand (540-604) devint pape, il décida de développer davantage la musique liturgique, afin d'éveiller un renouveau spirituel de l'Église :

« *Il porta*, dit Cyril Scott, *à huit modes le chant*

dû à saint Ambroise (deux siècles avant lui) qui n'en comportait que quatre, ce qui donna naissance au plain-chant ou chant grégorien; celui-ci allait faciliter la dévotion en accroissant la concentration de pensée des fidèles. Sur le plan psychique, ce chant tendait à assurer un plus grand contrôle sur les émotions : (...) l'esprit était engagé tout entier, les émotions et les passions les plus turbulentes étaient généralement apaisées pour un temps.» (op. cit. p. 214)

«Qu'est-ce au juste que cet immense "corpus" du chant grégorien, qui après mille cinq cents ans résonne encore sous nos voûtes? Nul ne le sait, en vérité. Pas un nom d'auteur n'a traversé les siècles (...). Peut-être ce chant apporte-t-il dans ses volutes quelque écho des mélodies païennes antérieures (...) Il n'y a pas, comme on le croit facilement, un chant grégorien avec des règles uniques d'exécution, mais mille ans d'expériences successives.»

(J. Chailley, *Histoire musicale du Moyen Âge*, P.U.F., p. 44-45.)

Bien des raisons laissent penser que le chant grégorien fut inspiré par la musique druidique, la musique religieuse du monde celtique, qui restait encore très vivante en Europe de l'Ouest (dans les Iles britanniques, c'était au vie siècle l'époque du roi Arthur, de Merlin l'Enchanteur, des chevaliers de la Table Ronde...). Les Druides, qui avaient possédé de hautes connaissances — comme les Atlantes et les Initiés égyptiens — savaient qu'en employant certains sons, on facilitait « LE CONTACT ENTRE LE FINI ET L'INFINI », comme dit Cayce. Essayez de chanter de toutes vos forces du très beau grégorien... Vous verrez! Historiquement, nous sommes les héritiers de la musique druidique, c'est-à-dire atlante: il y a une permanence à travers les siècles des civilisations disparues... Le professeur A. Tomatis, grand spécialiste de la thérapie par la voix, a consacré un article au grégorien :

« *Ce joyau exceptionnel que le temps a fait se cristalliser au cours des siècles reste sans contexte, en matière de chant, le sommet de ce qui a pu traverser l'Homme en quête de Dieu.(...)*

Celui qui s'y adonne se trouve situé d'emblée sur un tout autre registre. Son âme se prend à vibrer en ses rythmes essentiels, qui sont ceux d'un état premier (...) L'homme est une mémoire éternelle, chante le psalmiste. Il se sait solidaire d'un Dieu qui ne l'abandonne pas et qui de toute éternité l'attend avec une patience qui n'a d'égale que sa miséricorde. Le grégorien est là pour activer cette mémoire et l'actualiser afin que le vœu d'être auprès de Dieu devienne l'objet premier de celui qui s'y adonne. Il est pour nous le moyen le plus assuré de nous engager en ce chemin d'éternité.(...)

Et là nous nous retrouvons face au pouvoir du chant grégorien, pouvoir indéniable et qu'il convient d'envisager sur le plan pédagogique. Il est assurément ce qui, de tous temps, a été le plus élaboré pour parvenir à faire qu'il y ait un balancement entre le corps et l'Être. Seul l'Être chante et le corps est son instrument pour y parvenir. Le mode d'expression le plus dépouillé de tout état d'âme qui, on le sait, altère la transparence de l'Être, est le grégorien.

Le chant grégorien est la réponse la plus physiologique d'un corps dégagé des problèmes du quotidien. Du moins aide-t-il à redécouvrir un moment précieux, privilégié où seul l'Être chante. On sait qu'il est une prière et une louange permanentes.

De tous les chants sacrés, il est le plus démuni d'expression corporelle dans le sens où on l'entend, c'est-à-dire sur le plan des réponses à des sentiments du vécu. Il module sur une octave inaccoutumée, où seul l'Être se rencontre avec sa réalité, c'est-à-dire son incarnation. Il se branche dès lors littéralement sur la Création, face à son Créateur dont il chante la louange en commun avec l'Univers lui-même. »

(Alfred A. Tomatis, *Pourquoi le grégorien?*, article publié par la revue *Cantate domino*, juillet-octobre 1987.)

L'union à Dieu produit aussi l'union entre les hommes : pas étonnant que la belle musique soit à la fois le meilleur langage pour parler à Dieu et pour parler aux autres peuples :

« SEULE LA MUSIQUE PEUT FRANCHIR L'ESPACE ENTRE LE FINI ET L'INFINI. LA MUSIQUE JOUÉE PAR L'ENTITÉ PEUT ÊTRE LE MEILLEUR MOYEN DE SUSCITER, D'ÉVEILLER L'ESPOIR LE PLUS SOLIDE, LE DÉSIR LE PLUS ÉLEVÉ, TOUT CE QU'IL Y A DE MEILLEUR DANS LE CŒUR ET L'ÂME DE CEUX QUI L'ÉCOUTERONT — ET L'ÉCOUTENT ACTUELLEMENT. LA MUSIQUE N'EST-ELLE PAS LE LANGAGE UNIVERSEL, AUSSI BIEN POUR CEUX QUI VEULENT EXPRIMER DES LOUANGES QUE POUR CEUX DONT LE CŒUR ET L'ÂME SONT RAVAGÉS PAR LE CHAGRIN? N'EST-ELLE PAS UN MOYEN D'EXPRESSION UNIVERSELLE? PAR ELLE ARRIVE L'ESPOIR. »

(Lecture 2156-1)

Ainsi, une belle liturgie, avec une musique capable d'ouvrir à ses auditeurs les portes de l'Infini, crée-t-elle un égrégore de pensées lumineuses. Cela se traduit par cette ambiance chaleureuse, bienveillante, cet enthousiasme collectif, qui « transporte », ou « fait planer », l'assistance. Comme le dit le Yi-King[1], dans l'hexagramme n° 16, « YU », c'est-à-dire : l'enthousiasme :

« Ainsi les anciens rois faisaient de la musique
« Pour honorer les hommes de mérite
« Et ils les amenaient, dans la magnificence,
« Au Dieu Suprême
« En invitant leurs ancêtres à la cérémonie »

---

1. *Le Yi-King,* l'un des piliers de la sagesse chinoise, traduction de Richard Wilhelm et Étienne Perrot, Librairie de Médicis, p. 91.

« *De même, la musique a le pouvoir de dissiper dans les cœurs la tension, effet des sentiments sombres. L'enthousiasme du cœur s'exprime spontanément dans le chant, la danse, les mouvements rythmiques du corps. Depuis toujours, la vertu exaltante des sons invisibles, qui émeuvent et unissent le cœur des hommes, a été ressentie comme une énigme. Les souverains mettaient à profit ce goût naturel pour la musique. Ils le rehaussaient et l'ordonnaient. La musique était regardée comme une chose grave et sainte, devant servir à purifier les sentiments des hommes. Elle était destinée à célébrer les vertus des héros et à lancer ainsi un pont en direction du monde invisible. Dans le temple, on s'approchait de la divinité en s'accompagnant de musique et de pantomines. Les sentiments religieux envers le Créateur du monde étaient purifiés au moyen des sentiments humains les plus saints, la vénération à l'égard des ancêtres. Ceux-ci étaient invités à ces services divins en tant qu'hôtes du Seigneur du Ciel et représentants de l'humanité dans ces régions supérieures. En unissant le passé humain et la divinité en de solennels moments d'émotion religieuse, on scellait le lien entre la divinité et l'humanité. Le souverain, qui honorait la divinité dans ses ancêtres, était par là le Fils du Ciel, en qui le monde céleste et le monde terrestre entraient mystiquement en contact. Ces pensées constituent le résumé ultime et suprême de la civilisation chinoise.* »

La musique est naturellement une voie de progrès spirituel :

« L'OUÏE EST L'UN DES SENS APPARTENANT À L'UN DES SYSTÈMES NERVEUX DU CORPS, LE SYSTÈME NERVEUX SENSORIEL. ET CELUI-CI EST COMME LA VOIE DE PASSAGE ENTRE LES ASPIRATIONS SPIRITUELLES ET LES ASPIRATIONS MENTALES CHEZ L'ÊTRE HUMAIN. »

(Lecture 3697-1)

Comme dit le professeur Tomatis :

« Il est évident que le système auditif n'a d'action que parce qu'il est connecté avec le système nerveux. » (op. cit.)

LA MUSIQUE ET SON IMPACT SUR LES GLANDES ENDOCRINES

Cayce décrit ainsi la structure de l'Homme sur la Terre : Trois corps, dont la cohésion est un phénomène vibratoire. Dans certains états — le sommeil, la sortie dans l'astral, toutes les formes de transe —, le corps physique se dissocie plus ou moins du corps spirituel et du corps mental.

A l'état normal, dans la vie de tous les jours, ces trois corps tiennent ensemble assez étroitement pour nous permettre de mener une vie active. Or certains sons provoquent une dissociation provisoire des trois corps :

« LA MUSIQUE ET LES ACTIVITÉS MUSICALES DÉFONT L'ÉTAT NORMAL DE LA CONSCIENCE. »

(Lecture 5253-1)

Le corps physique, le corps mental et le corps spirituel sont maintenus ensemble par un certain régime vibratoire. Lorsque les sons modifient ce régime vibratoire, la cohésion naturelle des trois corps se modifie. Ainsi, la musique, le chant, la voix, dont l'impact modifie nos longueurs d'onde, nous mettent-ils dans une somme d'états différents — états que l'on appelle, suivant les époques et les écoles : extase, transe, état de conscience altéré, alpha, etc. :

« EN CE QUI CONCERNE LES ACTIVITÉS (de l'entité autrefois), IL Y AVAIT D'ABORD LES CHANTS, LA MUSIQUE. COMME NOUS VOUS L'AVONS INDIQUÉ, IL FAUT QUE VOUS CHANTIEZ. LE CHANT AVAIT POUR EFFET DE RELÂCHER L'ASSOCIATION DES DIFFÉRENTS CORPS EN AGISSANT SUR LES VIBRATIONS DONT ILS SONT FAITS. »

(Lecture 281-25)

Quel est le phénomène qui se produit alors ? La force vitale, l'énergie divine, cosmique, qui gît au fond de tout être vivant (et que les Indiens appellent « kundalini »), remonte alors le long de la colonne vertébrale, passant de centre glandulaire en centre glandulaire (les Indiens disent « de chakra en chakra »). Les sept centres glandulaires majeurs[1] (hypophyse ou pituitaire, pinéale, thymus, thyroïde, surrénales, cellules de Lyden ou de Leydig, gonades) sont normalement « fermés ». Sur l'impact de certains sons, ils « s'ouvrent » pour laisser remonter l'énergie vitale.

Ce phénomène se produit normalement, à un degré plus ou moins fort, dans la prière et la méditation (collectives ou individuelles). Les liturgies anciennes avaient donc pour but d'« ouvrir » les centres glandulaires pour favoriser un meilleur état de prière et de méditation. Il était obtenu aussi bien par la musique instrumentale que par la voix, le chant et les incantations.

---

1. Dont j'ai parlé de façon plus détaillée dans le Tome II de *L'Univers d'Edgar Cayce*, Éd. Robert Laffont.

LA PUISSANCE DES INCANTATIONS

J'ai déjà parlé ailleurs[1] du fameux « A.R.E.I.O.U.M », version égyptienne de l'AUM indien. Voici quelques lectures, choisies parmi les très nombreux textes de Cayce, sur la puissance réelle des incantations :

« LA PRONONCIATION DE CE QUE NOUS APPELONS À PRÉSENT LES VOYELLES, SI ELLE EST FAITE D'UNE CERTAINE FAÇON, ÉVEILLE DANS L'ORGANISME PHYSIQUE UNE RÉPONSE DES CENTRES (glandulaires) AU TRAVERS DESQUELS PASSENT, EN LES CONNECTANT, LES ÉNERGIES SPIRITUELLES. »

(Lecture 949-12)

Les énergies spirituelles, ce sont les énergies divines du Cosmos, qui remontent à travers les centres glandulaires en les « ouvrant ». Les incantations — que les Indiens appellent « mantram » (ou « mantra ») peuvent provoquer cette ouverture :

« AINSI L'ENTITÉ SENTIRA COMBIEN IL EST NÉCESSAIRE DE CONTINUER À TRAVAILLER LE CHANT ET SES HARMONIES. L'ENTITÉ, COMME BIEN D'AUTRES PERSONNES QUE NOUS AVONS DÉJA CONSEILLÉS, DISCERNERA QUE CERTAINES COMBINAISONS DES NOTES DE LA GAMME — COMME VOUS L'APPELEZ — C'EST-À-DIRE LES HARMONIES DU AR-AR-R-R-E-E-E[2]-OO-OUMM — ÉVEILLENT AU FOND DE L'ÂME LA POSSIBILITÉ DE SE METTRE EN CONTACT AVEC L'AMOUR DU PÈRE, TEL QU'IL LE MANIFESTE AUX ENFANTS DES HOMMES. »

(Lecture 1158-10)

Alors que l'Occident avait oublié la puissance des incantations, l'Inde — plus traditionaliste — les a gardées.

---

1. « L'Univers d'Edgar Cayce », Tomes I et II.
2. La lettre « e » se prononce « i » en anglais.

« Utilisés dès l'époque védique, dit le Dr Lefébure, *les mantras ont conservé dans le brahmanisme tout leur caractère de contrainte magique. Le mantra est divin. Il est la divinité même, la forme matérielle de Dieu. Un mantra essentiel résume tous les autres : la syllabe sacrée "OM" !»*[1] (que les Occidentaux transcrivent en AUM).

« Le mantra le plus subtil, le plus divin, celui qui exprime le mieux le son primordial, est le son OM. »
(Ibidem, p. 74)

« Quelle est la façon correcte de prononcer le "A U M" ?» demande à Cayce un consultant (qui croit que, puisque c'est indien, c'est forcément bien !...). La réponse met l'accent sur l'ascèse intérieure, et non pas sur le folklore :

« CELLE QUI VOUS PERMET DE VOUS BRANCHER SUR LA PRÉ-SENCE DIVINE, AU MOYEN DE VOS PROPRES CORDES VOCALES. ET NON PAS DE FAIRE DES VOCALISES !»
(Lecture 1861-18)

A un autre « indianisant », Cayce dit :

« COMMENCEZ AVEC CE QUI EST ORIENTAL (...). AMENEZ VOTRE MENTAL À SE BRANCHER EN FREDONNANT CES SONS : O-O-O-AH-AH-UMM-O-O-O ; MAIS N'EN FAITES PAS UNE ROUTINE MONOTONE. ESSAYEZ PLUTÔT D'EN RESSENTIR L'ESSENCE SUB-TILE QUI PASSE PAR VOS ÉNERGIES PHYSIQUES, EN DYNAMI-SANT VOTRE CORPS. CETTE PRATIQUE ÉVEILLERA LES FORCES KUNDALINES DE VOTRE ORGANISME. ENSUITE, VOUS N'AUREZ PLUS QU'À LES DIRIGER SUR AUTRUI, COMME UNE BÉNÉDIC-TION. »
(Lecture 2823-3)

Il s'agit d'un consultant qui veut apprendre à guérir autrui par la prière).

1. Dr Francis Lefébure : *Le Nom essentiel de Dieu, OM et les Mantras,* 1987, p. 11.

Ces deux lectures pourraient faire croire que Cayce encourage ses lecteurs à pratiquer le «AUM» indien, à se mettre dans la pensée indienne. C'est vrai dans le cas particulier ci-dessus, mais c'est l'exception: Cayce n'est pas du tout indianiste. Il parle à des Occidentaux, et emploie un langage occidental. S'il utilise exceptionnellement le mot «FORCE KUNDALINE», c'est pour être mieux compris de ce consultant. Mais il ne recommande pas spécialement le «O-mane-padni-aum» indien, puisqu'il en donne (et de multiples fois!) sa version à lui, qu'il dit provenir des fameux Temples de l'Égypte ancienne:

«ET DE LÀ VIENT VOTRE INTÉRÊT POUR LA MUSIQUE, POUR LA COULEUR, AINSI QUE POUR CET APPEL CHANTÉ À VOIX HAUTE (...) DANS LE TEMPLE DE LA BEAUTÉ[1] (...): O-OOOO-AH-H-MMM-U-UUU-R-RRR-N-NN-. ON PEUT LE FAIRE RÉSONNER INTÉRIEUREMENT — PAS JUSTE AU NIVEAU DE L'APPAREIL VOCAL MAIS EN LE FAISANT REMONTER LE LONG DES CENTRES GLANDULAIRES, DEPUIS (le réservoir) DES FORCES PHYSIQUES, ET CELA POUR COORDONNER SON ACTIVITÉ; L'ENTITÉ, AINSI, S'HARMONISERA DAVANTAGE À L'INTÉRIEUR D'ELLE-MÊME.»

(Lecture 1770-2)

Le réservoir des forces physiques, c'est l'étage des gonades: au niveau des glandes sexuelles se situent les réserves d'énergie physique. (Comme dit d'ailleurs la Bible, quand elle parle de Dieu *«qui sonde le cœur et les reins»* ceux-ci symbolisant les forces vives de l'être). En faisant résonner cette incantation au niveau de chacune des glandes endocrines, de haut en bas ou de bas en haut, on provoque la circulation de l'énergie vitale dans l'ensemble du corps. Ce qui a pour premier effet de recoordonner et d'apaiser toute

1. Sur le «Temple de la Beauté», voir l'Univers d'Edgar Cayce. Tome I. Éd. Robert Laffont.

la personne. C'est la première et indispensable étape à toute méditation, et toute prière.

Le Dr Francis Lefébure a beaucoup étudié scientifiquement le fameux mantra « OM ». Dans l'ouvrage que je viens de citer, il explique comment

« la répétition mentale des "OM" harmonise l'ensemble du psychisme, et constitue un puissant stimulant de toutes les fonctions cérébrales ».

Il donne de très intéressantes explications modernes à la puissance de ce fameux « OM ». Il rappelle d'abord l'expérience scientifique où l'on dispose sur une plaque métallique de la poudre de lycopode. La vibration sonore de cette plaque métallique déplace les particules, qui s'organisent alors en ensembles, qui prennent la forme de figures.

« Mais l'essentiel de son effet reste l'impression de communion permanente avec le Cosmos, avec lequel il vous met en harmonie. » (Op. cit. p. 3)

Son explication des phénomènes qui surviennent lors de la méditation est la suivante : les « CENTRES GLANDULAIRES » (ou chakras) sont le lieu d'un « tourbillon » énergétique lorsqu'ils sont « OUVERTS » (comme dit Cayce). La méditation qui « ÉVEILLE » ces tourbillons d'énergie pour les « BRANCHER SUR LA PRÉSENCE DIVINE » se fait d'autant mieux que l'on concentre sa pensée, sa vue ou son ouïe, sur un phénomène tourbillonnaire. Peu importe que ce tourbillon soit perçu visuellement (comme la houle et les vagues) ou acoustiquement (comme le son OM, qui en est la traduction). Le Dr Lefébure appelle le fait de se concentrer sur quelque chose qui tourne ou tourbillonne, « la méditation rotationnelle » (ou gyroscopique). Partant de ce principe, il a même inventé des machines optiques qui tournent (gyroscopes), pour faciliter la méditation.

« Si l'on contemple quelque chose qui tourne, on voit qu'il se crée dans la matière un vide, au centre, à travers lequel on peut regarder. (...) Dans l'eau, certains tourbillons permettent de voir le fond de la rivière. De même la méditation rotationnelle crée en son centre une sorte de trou, par lequel on peut observer l'autre monde. C'est le développement de la voyance, par la mise en rotation des chakras, rapporté par les traditions orientales et certaines écoles dites ésotériques. » (Idem, p. 73)

C'est l'explication de techniques de méditation orientales, comme le chapelet et les danses soufies. Ces dernières font « tourner en rond » les participants, tandis que le premier est perçu comme un « ronron », un ronronnement qui évoque en effet un tourbillon. Ces mouvements et ces sons rythmés favorisent la méditation, c'est-à-dire stimulent l'énergie tourbillonnaire des centres glandulaires. Ainsi, contempler les vagues, les écouter est une excellente forme de méditation :

« Le bruit de la mer a été enregistré sur des cassettes commercialisées. En les écoutant, on s'aperçoit que, d'habitude, lorsqu'on est sur la plage, on porte beaucoup plus attention à la vue des vagues mouvantes qu'à leur bruit ; de telle sorte que, par les cassettes, on leur découvre mille nuances et rythmes qui nous avaient alors échappé. Il faut insister sur cette écoute, jusqu'au moment où l'action sur le système nerveux commence à se faire sentir, et où l'on est progressivement empli d'un sentiment de communion avec le Cosmos. »

(Dr Francis Lefébure, *Du moulin à prière à la dynamique spirituelle*, p. 208.)

Pourquoi? Parce que, dans le Cosmos, tout est soumis à des mouvements rythmiques et tourbillonnaires, et que «*tout ce qui est en bas est comme en haut*» (dit la Table d'Émeraude). En mettant ainsi en mouvement les centres glandulaires qui tiennent nos trois corps, nous nous mettons à l'unisson des rouages de cette immense horloge qu'est le Cosmos:

«*Ce qu'il est convenu d'appeler développement spirituel consiste à recréer dans son imagination visuelle et auditive les phénomènes que l'Astronome découvre progressivement dans les corps célestes. Mais les lois générales de l'Univers étant les mêmes que pour la matière et pour l'esprit — certaines de ces lois avaient été découvertes dans le psychisme depuis l'aube des temps historiques au moins — avant que les progrès de la science n'aient permis de les découvrir dans le Cosmos. Ainsi en est-il des mouvements tourbillonnaires décrits en yoga sous le nom de kundalini.*» (Idem, p. 71)

«*C'est la rotation des corps célestes qui engendre leur champ magnétique, d'où des phénomènes comme les aurores boréales. C'est la méditation gyroscopique qui engendre l'illumination: le principe est simple: il s'agit de se représenter un objet en rotation.*»

(Dr Lefébure, op. cit., p. 72.)

En géophysique, dans la Nature, le tourbillon amène à une élévation:

«*Un tourbillon s'oriente naturellement selon un axe vertical, avec le courant ascendant par le centre, le courant descendant par la périphérie, comme cela peut se voir dans les sables du désert, où le vent qui frotte le sol engendre d'abord un tourbillon presque horizontal, qui se redresse rapidement.*» (Ibidem, p. 69)

Cependant, l'effet de la puissante incantation « OM » varie d'une personne à l'autre :

« Et quelle est la note de la gamme à laquelle je vibre ? »

« AH — NON PAS R — MAIS AH-AUM, VOYEZ-VOUS ? CE SONT LÀ LES SONS QUI RÉAGISSENT SUR LES CENTRES GLANDULAIRES DU CORPS, EN OUVRANT CES CENTRES, DE FAÇON À PERMETTRE LA REMONTÉE DES FORCES KUNDALINES (...). PRONONCE-LES, ET TU LES RETROUVERAS AU FOND DE TOI-MÊME (...). CEUX QUI ONT LA CONNAISSANCE, LORSQU'ILS L'APPLIQUENT INTELLI-GEMMENT AU BIEN POUR EUX-MÊMES ET POUR AUTRUI — PAS ÉGOÏSTEMENT NI AU DÉTRIMENT D'AUTRUI — SONT ALORS DANS LA SAGESSE ROYALE. (...)

IL Y A CERTAINES NOTES QUI PROVOQUENT CHEZ TOI UNE RÉACTION, MAIS EST-CE QUE CE SONT TOUJOURS LES MÊMES ? ELLES VARIENT, COMME TES HUMEURS ET TES ÉTATS D'ÂME, TANT QUE TU NE TE SERAS PAS ÉLEVÉ JUSQU'À LA PARFAITE COMMUNION AVEC DIEU. »

(Lecture 2072-10)

Car tout le monde n'a pas les centres glandulaires dans le même état, ni réagissant de la même façon. On peut trouver soi-même d'autres mantras, qui conviennent à ce moment-là. Le Dr Lefébure parle de

« la révélation qui se manifeste par le plaisir que l'on éprouve à répéter mentalement un son que l'on s'est forgé, sans le puiser dans aucune source écrite ou orale, simplement parce que sur l'heure, on le trouve plus agréable que tous les autres. »

(*Le Nom naturel de Dieu, OM, les Mantras*, p. 74.)

Voilà pourquoi les enfants, plus spontanés que nous, répètent parfois pendant des jours et des semaines un mot qui leur plaît, ou un son qu'ils ont «inventé»: ce sont des mantras naturels. Ainsi:

«*Chacun pourra se construire le mantra pour le chakra intermédiaire sur lequel il a choisi de se concentrer, c'est-à-dire de mettre en mouvement la pensée tourbillonnante. (...) Il ne faut pas avoir une foi superstitieuse en la correspondance de certains sons et certains chakras, comme on a foi en certaines formules de grimoires — mais comprendre que le problème est de choisir le son dont le rythme et les résonances analogiques favorisent le mieux les mouvements tourbillonnaires de la pensée.*»

(Dr Lefébure, *Le Nom naturel de Dieu, OM, les Mantras*, p. 69.)

Ce «mantra» personnel vous permettra de:

«FAIRE REMONTER CES FORCES DEPUIS LE CENTRE CRÉATEUR DU CORPS; ET, ALORS QU'ELLES SE PROPAGENT À TRAVERS LES DIFFÉRENTS CENTRES GLANDULAIRES, CANALISEZ-LES. METTEZ-VOUS TOUJOURS DANS L'ATTITUDE DÉTERMINÉE DE FAIRE TOU-JOURS: "TA VOLONTÉ, Ô DIEU, ET NON LA MIENNE". AINSI L'ENTITÉ GAGNERA LUCIDITÉ, PERCEPTION — ET, PAR-DESSUS TOUT, L'APTITUDE À BIEN JUGER».

(Lecture 2823-3)

Le «CENTRE CRÉATEUR DU CORPS», c'est la zone des gonades, en bas de la colonne vertébrale, où sont stockées les énergies vitales, c'est-à-dire les «FORCES KUNDALINES». Cayce insiste encore dans cette lecture sur le fait que ce phénomène devient très dangereux s'il est mal orienté. (C'est ainsi que l'utilisent les mages et les sorciers noirs dont nous reparlerons plus loin).

TROUVER LA LONGUEUR D'ONDE DIVINE

Cayce emploie souvent, dans les lectures, les mots « ATTUNEMENT » et « ATONEMENT » — deux favoris du vocabulaire caycien. On y trouve deux idées parallèles : celle de se brancher sur la longueur d'onde divine, et celle de faire un avec l'Unique, c'est-à-dire Dieu.

« Monsieur Cayce, s'il vous plaît, donnez une définition du mot "at-one-ment".»

« L'AT-ONE-MENT (...), C'EST METTRE SA VOLONTÉ À L'UNISSON DES FORCES CRÉATRICES, QUI SERONT AINSI LA FORCE MOTRICE DE SA PENSÉE, DE SON MENTAL : CAR CE DERNIER EST LE CONSTRUCTEUR DE TOUT ACTE ACCOMPLI PAR UN CORPS PHYSIQUE, MENTAL OU MATÉRIEL.

AINSI, PAR CETTE DÉMARCHE, LA VOLONTÉ D'UNE ENTITÉ, D'UN INDIVIDU, PEUT-ELLE S'UNIR AUX ÉNERGIES CRÉATRICES, DANS SA VIE QUOTIDIENNE. »

(Lecture 262-45)

La lecture est claire : tout est dans la tête ! Toute démarche spirituelle commence par l'idée qu'on s'en fait. Les pensées sont des actes qui émettent une énergie. Cette énergie passe au niveau physique, au niveau du corps, pour engendrer l'activité pratique et concrète. Voilà pourquoi la prière et la méditation sont meilleures, si le corps physique traduit la pensée par des gestes, par une attitude : se mettre à genoux, en lotus, danser comme les soufis ; ou, comme David devant l'Arche, chanter, jouer de la musique, etc.

«Monsieur Cayce, avez-vous une méthode à nous conseiller pour mieux méditer et mieux se concentrer?»

«VOUS MÉDITEZ PARCE QUE VOUS DÉSIREZ VOUS BRANCHER[1] SUR LES FORCES CRÉATRICES. VOUS NE MÉDITEZ PAS PARCE QUE CE SERAIT UNE OBLIGATION, OU POUR VOUS AMUSER. NON, VOUS MÉDITEZ POUR VOUS BRANCHER SUR L'INFINI[2]. ET, EN BRANCHANT VOTRE ÊTRE, UTILISEZ VOTRE PROPRE VOIX, COMME LORSQU'ON PRONONCE LE OO-AH-AH-UM; MAIS TROUVEZ VOUS-MÊME VOTRE PROPRE FAÇON DE LE VOCALISER.»

(Lecture 1861-18)

Ainsi, l'être humain qui essaie de «SE BRANCHER SUR L'INFINI», c'est-à-dire sur la longueur d'onde divine, par des chants et des incantations, agit alors comme les autres êtres des différents règnes de la Nature, qui expriment par le son leur union avec Dieu. Dans cette lecture, Cayce apparente ces deux mots «ATONEMENT» et «ATTUNEMENT». «ATONEMENT» signifie en anglais ordinaire: expiation, purification, rachat, réparation. Cayce en extrait le mot-racine: «ONE» («UN») — puisqu'il dit et redit que sa philosophie est celle de l'Atlantide, qui s'appelait alors la «RELIGION DE LA LOI DE UN».

(Voir Tome I):

«RAPELLE-TOI, LE SEIGNEUR TON DIEU EST UN! TES EXPÉRIENCES DE VIE SUR TERRE FORMENT UNE UNITÉ. DONC LES ACTIVITÉS DE TON CORPS, DE TON ESPRIT, DE TON ÂME DEVRAIENT SE METTRE À L'UNISSON.»

(Lecture 1183-1)

Finalement, la signification classique de «ATONEMENT» rejoint la signification caycienne: car,

1. En anglais: «TO BE ATTENUED».
2. En anglais: «TO ATTUNE SELF TO THE INFINITE».

pour rejoindre l'Unique. — c'est-à-dire Dieu —, une réparation est nécessaire : celle de notre être déchiré en morceaux. Mais on rejoint ici le mot « ATTUNEMENT ». Il dérive de « tune » : la musique, le son, le ton, qui a donné le verbe « to tune in », se mettre en accord, en résonance, donc se mettre sur la longueur d'onde de... Ce mot est devenu très à la mode dans les milieux « branchés » (traduction française d'« attuned »). Signe d'un envahissement de la pensée occidentale par la mécanique ondulatoire... mais signe heureux ! Parce qu'il y a, enfin, cette prise de conscience collective du fait que : « LA VIE, DANS SA MANIFESTATION, EST VIBRATION » (Lecture 1861-16) (Voir la citation plus complète dans son contexte, un peu plus loin).

En réalité (et c'est le futur point d'entente entre scientifiques « sérieux » et parapsychologues « délirants »), tout objet, même d'apparence inerte, est constitué d'atomes, animés d'oscillations périodiques, c'est-à-dire de vibrations. Ces oscillations ressemblent à celles de la houle, et la « longueur d'onde » est l'espace/temps, qui sépare le passage de deux crêtes successives en un même lieu[1]. Tous les êtres vivants, toutes les choses visibles et invisibles sont animés de vibrations. Il n'y a pas d'exception. Même votre tablette de chocolat, que vous avez laissé traîner au fond d'une soucoupe (non volante) et qui a l'air inerte, vibre quelque part !

Les savants avaient été vraiment très contents d'eux, en découvrant que la matière était faite de molécules et d'atomes. Ils pensaient avoir enfin trouvé le secret de la Vie et n'avaient que mépris pour les vieilles lunes de l'astrologie ou de la

---

1. Plus exactement : la longueur d'onde est : « *l'espace parcouru par la vibration pendant une période* » et la période est : « *le temps écoulé entre deux passages successifs d'un système oscillant dans la même position et avec la même vitesse* ». (J'ai emprunté ces deux définitions au *Petit Robert*).

radiesthésie! Or voilà que ces savants — pas les mêmes, bien sûr, mais leurs petits-fils! — découvrent aujourd'hui que l'atome, c'est bien joli, mais que ce n'est pas tout. Ces atomes, qu'on croyait bien sagement enchaînés dans leur coin, se permettent de bouger... Cette danse de Saint-Guy des molécules a donné la migraine a bien des honorables chercheurs... Aujourd'hui, on estime que la matière est composée d'atomes continuellement occupés à vibrer — et que cette vibration change tout! —.

Les deux mots «ATTUNEMENT» et «ATONEMENT» nous renvoient ainsi à la musique: la racine «tone», c'est le ton, le timbre, la tonalité, l'accord; et la racine «tune», eh bien, c'est l'air, l'accord, la justesse de ton, l'harmonie, la syntonicité... Tout ça chante! Les relations de famille entre ces mots ne sont pas un hasard et suggèrent la relation étroite entre musique et prière, musique et méditation. Cayce conseille donc fortement, à ceux qui veulent apprendre prière et méditation, de s'aider de la musique de la Nature:

«COMMENT, DEMANDEZ-VOUS, L'ENTITÉ PEUT-ELLE BRANCHER SON MOI PROFOND SUR LES ÉNERGIES DIVINES? EN REGARDANT LA BEAUTÉ D'UN COUCHER DE SOLEIL, D'UNE ROSE, D'UN LYS, DE N'IMPORTE QUOI DANS LA NATURE. ET ENSUITE, TRADUISEZ L'ÉTAT D'ÂME QUE TOUT CELA CRÉE EN VOUS SUR LES INSTRUMENTS ACTUELS, ORGUE, PIANO, FLÛTE, INSTRUMENTS À CORDE (...). C'EST CELA QUI VOUS REMETTRA PEU À PEU D'ACCORD AVEC VOUS-MÊME: RÉAJUSTER VOTRE ÊTRE PROFOND À LA BEAUTÉ QUE VOUS VOYEZ S'ÉPANOUIR DANS LA NATURE.»

(Lecture 949-12)

Il faut vivre de musique, autant celle que l'on joue que celle que l'on écoute:

« APPRENDS DONC LA MUSIQUE, C'EST UNE PART DE LA BEAUTÉ SPIRITUELLE (...). PAR L'HARMONIE DU SON, PAR L'HARMONIE DE LA COULEUR, PAR L'HARMONIE DU MOUVEMENT, CELUI QUI FAIT DE LA BELLE MUSIQUE EXPRIME TOTALEMENT SON INTELLIGENCE DE L'HARMONIE PAR SON ACCORD PHYSIQUE AVEC CETTE MUSIQUE. »

(Lecture 3659-1)

Mais toutes les musiques ne sont pas également favorables à un branchement spirituel, comme l'indique la suite de la lecture :

« QUE TA VIE SOIT RÉGLÉE PAR CETTE MÊME HARMONIE QUE TU RETROUVES DANS LES MEILLEURES MUSIQUES ».

(Lecture 3659-1)

Car il y en a de nettement moins bonnes, comme nous le verrons plus loin — des musiques anti-spirituelles, qui détournent de la prière et de la méditation.

La musique digne de ce nom remet l'Homme dans la joie cosmique, dans une attitude d'admiration, d'amour, d'innocence; elle est la meilleure voie vers la méditation et la prière :

« QUE LA MUSIQUE DEVIENNE (...) LE MOYEN D'EXPRESSION QUI SERA LA SYNTHÈSE DE TOUT CE QUE L'ENTITÉ POURRA TROUVER DE BEAUTÉ ET D'HARMONIE DANS SA VIE (...); C'EST L'UNE DES VOIES PRIVILÉGIÉES À TRAVERS LAQUELLE L'ENTITÉ RETROUVERA LA BEAUTÉ ET L'HARMONIE PERDUES DANS LES TOURMENTES QUI ONT AGITÉ LES ESPRITS DE SON ENTOURAGE. CAR CEUX-LÀ S'ACCROCHENT AUX VOIES DE CE MONDE, ET IL A DIT QUE LE MONDE NE POUVAIT PAS COMPRENDRE, QU'IL N'EST PAS ENCORE PRÊT. SEULS COMPRENNENT CEUX QUI ÉCOUTENT LEUR VOIX INTÉRIEURE, DANS LES PROFONDEURS DE LEUR ÊTRE, OÙ IL A PROMIS DE LES RETROUVER. »

(Lecture 412-9)

Autrement dit, quand on se sent envahi par l'angoisse, agressé par les difficultés de la vie, qu'on a tendance à disperser ses énergies en s'agitant inutilement, un seul remède : prière et méditation ! Et en musique :

« SI AU COURS DE VOTRE VIE, VOUS AVEZ UNE DÉCISION À PRENDRE, QUE CE SOIT CONCERNANT LES CHOSES MATÉRIELLES, UN CHANGEMENT DE RÉSIDENCE, UN CHANGEMENT DANS VOTRE ENVIRONNEMENT, OU AUTRE, QUELQU'EN SOIT LA NATURE, PRENEZ CETTE DÉCISION EN ÉCOUTANT DE LA MUSIQUE. »

(Lecture 1042-2)

Prier et méditer semble extraordinairement difficile à nos contemporains. Dans les divers groupes que j'organise[1], j'ai remarqué à quel point les gens redoutaient de rester en silence pour prier. Par contre, ceux qui l'ont fait sont enchantés...

MUSIQUE, PRIÈRE ET MÉDITATION AIDENT AU DÉVELOPPEMENT PERSONNEL

Prière et méditation aident beaucoup à mûrir psychologiquement. Si on y ajoute la musique, l'amélioration sera alors beaucoup plus nette. La transformation de la personnalité, son affinement, le redressement de certaines tendances

1. Dans le cadre de l'association du *Navire Argo* (BP 674-08, 75367 Paris Cedex 08). Prière de mettre une enveloppe timbrée pour toute demande de renseignements.

négatives, peuvent être bien plus rapides, si l'on fait appel à la musique.

Cayce à quelqu'un dont le caractère manquait de souplesse:

« DONNEZ SA PLACE À LA MUSIQUE. QUE L'ENTITÉ EN ÉCOUTE ET SE LAISSE GUIDER PAR ELLE. PAS LES MUSIQUES À LA MODE, MAIS CELLES QUI CONSTRUISENT L'HARMONIE, QUI CONSTRUI-SENT UN PONT ENTRE LE SUBLIME ET LE FINI — C'EST-À-DIRE ENTRE L'INFINI ET L'ESPRIT (humain) QUI A DES LIMITES. CUL-TIVEZ LA MUSIQUE PLUS SOUVENT DANS LE DÉVELOPPEMENT DE VOTRE CORPS-ESPRIT. CELA ASSOUPLIRA PEU À PEU VOTRE TENDANCE À L'ENTÊTEMÉNT. »

(Lecture 4098-1)

Ce n'est pas forcément agréable à s'entendre dire, mais c'est un avis utile. Aux parents de l'«entité» ci-dessus, née avec un caractère peu accommodant, Cayce conseille de lui faire tra-vailler un instrument, pour lui assouplir le caractère:

« DÈS QUE L'ENTITÉ POURRA S'ASSEOIR DEVANT UN INSTRU-MENT DE MUSIQUE, SPÉCIALEMENT UN PIANO, QU'ELLE COM-MENCE À S'Y EXERCER; QUE CELA DEVIENNE UNE PARTIE DE LA VIE DE L'ENTITÉ DANS LES DIX-HUIT ANNÉES QUI SUIVRONT, ET AU COURS DESQUELLES ELLE DEVRA CONSACRER TOUS LES JOURS UN MOMENT À Y TRAVAILLER. »

(Même Lecture)

Quant à l'emploi régulier des incantations, en particulier de «OM», le Dr Lefébure estime qu'il amène de grands progrès sur le plan mental:

«*Continué durant la journée, pendant même le tra-vail,* (le son OM) *favorisera l'attention, l'intelligence, et améliorera toutes les activités.*» (Op. cit. p. 31)

On devrait l'enseigner aux élèves dans les

écoles... et ne pas négliger l'éducation musicale comme, hélas, c'est le cas maintenant! Une autre lecture répond à un consultant, qui cherchait à développer ses facultés «psi» — intuition, voyance, lecture des auras, interprétation des rêves, don de prévision, etc.

«Conseillez cette entité sur ce qui pourrait l'aider à progresser spirituellement et à développer ses facultés "psi".»

«AU FUR ET À MESURE QUE L'ENTITÉ SE TOURNERA DE PLUS EN PLUS VERS LA MUSIQUE POUR SE BRANCHER SUR LE DIVIN, ET QUE LA MUSIQUE DEVIENDRA POUR L'ENTITÉ UN TEMPS DE MÉDITATION (...), ELLE SE DÉCOUVRIRA LES APTITUDES NÉCESSAIRES POUR SE TOURNER VERS (certaines) ACTIVITÉS (...), QUI LUI DEVIENDRONT ALORS POSSIBLES.»

(Lecture 275-33)

Cette démarche a pour résultat final, si elle est bien menée, de fortifier énormément toute la personne, de lui donner une meilleure santé, une meilleure lucidité... et d'affiner ses facultés «psi».

On comprend pourquoi les écoles d'initiés, les «écoles des mystères» antiques, et toutes les religions du monde, ont donné à la musique et au chant une place essentielle dans la formation de leurs adeptes. C'est ainsi que pouvaient être développées les facultés «psi», qui sont, dit Cayce, d'essence spirituelle.

Aujourd'hui, pour faciliter la méditation, un certain nombre de musiciens inspirés ont créé des musiques, qu'ils appellent «musiques cosmiques», et qui n'existaient pas du temps de Cayce.

Cette musique de «l'Ère du Verseau» s'est affranchie des lois de l'harmonie traditionnelle. Elle vise, «*de manière générale, à susciter chez l'auditeur une impression de grand espace*».

C'est normal: le Verseau est le signe qui régit l'Espace! Continuons:

«*Cette musique cosmique entend délibérément activer et harmoniser certains centres énergétiques de notre corps, centres que certaines écoles spirituelles nomment chakras.* (Ce sont bien les centres glandulaires décrits par Cayce.) *Cette musique cosmique entend surtout proposer une alternance constructive à la consommation de drogues hallucinogènes (...); elle peut, utilisée à bon escient, stimuler fortement la sécrétion d'endorphine, cette hormone de la transe produite par l'organisme*»

(Ralph Tegtmeier, *Guide des musiques nouvelles pour le voyage intérieur*, Éd. le Souffle d'Or, p. 54-55.)

Ces musiques nouvelles font appel au synthétiseur, qui a renouvelé les possibilités de la symphonie. Cayce estime que celle-ci offre de bien plus riches possibilités d'épanouissement spirituel:

«... LA BASE DE TOUTE INTERPRÉTATION MUSICALE, L'APTITUDE À INTERPRÉTER N'IMPORTE QUEL GENRE DE MUSIQUE (...), C'EST DE COMMENCER AVEC CE QU'IL Y A DE PLUS SIMPLE, MAIS TOUJOURS EN EXPRIMANT SES ÉMOTIONS, QU'ELLES SOIENT PHYSIQUES, INTELLECTUELLES, SPIRITUELLES. ENSUITE, NOUS EN VIENDRONS AUX SYMPHONIES, CELA EST SÛR, CAR CE SONT CELLES-CI QUI, INTERPRÉTANT LE PLUS COMPLÈTEMENT LES ÉTATS D'ÂME ET D'ESPRIT, PERMETTENT À L'ÊTRE TOUT ENTIER DE SE BRANCHER SUR L'INFINI.»

(Lecture 3053-3)

Grâce au synthétiseur, de nouvelles combinaisons de sons viennent frapper l'oreille du public, le mettant sur la voie de percevoir, un jour, la richesse des harmonies de la musique des sphères.

IV

LA MUSIQUE
POUR GUÉRIR

LA MALADIE ET LA MUSIQUE

Quelle que soit sa maladie, le malade est toujours quelqu'un qui souffre d'un manque de coordination entre ses trois corps (physique, mental et spirituel). Il y a une sorte de décalage, de décoordination vibratoire: c'est cela qui amène la maladie du corps physique. Comment corriger cette carence vibratoire? En faisant appel aux vibrations musicales:

« TONALITÉS ET SONS SERONT LA VOIE PAR LAQUELLE POURRONT SE COORDONNER LES ÉNERGIES DU CORPS; C'EST LA BASE QUI LEUR PERMETTRA DE FONCTIONNER PARFAITEMENT. »

(Lecture 758-38)

Oui, la musique peut guérir — et pas seulement les petits bobos. Elle peut guérir des maladies graves, devant lesquelles la médecine « majoritaire » continue d'être désarmée. Par exemple, ce pauvre adolescent qui souffrait de convulsions:

« DANS CES VIBRATIONS MUSICALES, REPÉREZ DONC LES NOTES AUXQUELLES L'ORGANISME MALADE RÉAGIRA; ET

83

CONTINUEZ À INSISTER DESSUS, EN Y INTÉRESSANT LE MALADE — QUELS QUE SOIENT PAR AILLEURS LES TRAITEMENTS MÉDICAUX EN COURS ».

(Lecture 3401-1)

Mais quel type de musique faut-il employer pour guérir ? Toutes les musiques peuvent être valables, celles des instruments, celles de la voix humaine — pourvu qu'elles soient branchées sur la Musique de la Nature. Sans prétendre nullement faire le tour des possibilités — infinies — que donne la musique, voici un bref aperçu des secteurs où Cayce (toujours en avance sur son temps !) a ouvert les portes de l'avenir.

RÉÉDUQUER LES SOURDS GRÂCE À LA MUSIQUE

Dans le tome I de *L'Univers d'Edgar Cayce*, j'avais cité la lecture 2527-1 [1], où Cayce conseillait, pour guérir une petite fille sourde, de lui faire entendre de la musique. La lecture suivante va dans le même sens, suggérant à un patient, atteint de surdité, d'« ÉCOUTER DES CHOSES SPIRITUELLES » :

« LORSQU'IL S'AGIT D'ÉCOUTER QUELQUE CHOSE, SUR QUOI ÊTES-VOUS BRANCHÉ ? (...)

C'EST EXACT QU'IL Y A (ici) DES DÉSORDRES PUREMENT PATHOLOGIQUES. ET CEPENDANT CEUX-CI PEUVENT ÊTRE AMÉLIORÉS, SI VOUS ÉCOUTEZ DES CHOSES SPIRITUELLES, SI VOUS VOUS CENTREZ SUR DES ASPIRATIONS SPIRITUELLES. MALGRÉ LA PERTE DES RÉFLEXES AUDITIFS, VOTRE ORGANISME POURRAIT RÉCUPÉRER SA FACULTÉ D'ENTENDRE (...)! CHERCHEZ

1. p. 109, Éd. R. Laffont.

DIEU EN VOUS, ET UTILISEZ TOUS LES MOYENS MIS À VOTRE DISPOSITION POUR RECONSTRUIRE VOTRE MOI ET SES POSSIBILITÉS IMMÉDIATES (d'expression) (...) ET VOUS ENTENDREZ!»

(Lecture 3697-1)

Différentes recherches scientifiques ont montré que nous n'entendons pas seulement avec l'oreille. En fait, tout le corps «entend» les vibrations musicales. Comme le dit Marie-Louise Aucher:

«*L'homme à l'état d'écoute perçoit par son corps entier les vibrations qui lui parviennent, et son système nerveux conduit jusqu'aux centres de l'audition, puis au cerveau, les perceptions captées. Cette réception sensorielle va se faire surtout par le truchement du tact, l'un des sens dont nous n'usons guère que très grossièrement, faute d'entraînement musical.*»

(*L'Homme sonore*, p. 23)

Autrement dit, notre peau est une oreille! Les psychophonistes ont donc repéré quelles zones du corps «entendent» le mieux la musique (il semble que ce soient les os du crâne et de la colonne vertébrale). Marie-Louise Aucher a donc établi «*une échelle de réceptivité sonore*», selon les régions du corps; et elle a constaté que celle-ci correspond aux schémas d'acupuncture:

«*Notre échelle de réceptivité sonore correspond aux planches que Soulié de Morant, dans son livre* L'Acupuncture chinoise *(Tome I, ligne 68), reproduit d'une vieille gravure chinoise. (op. cit., p. 21). «L'Homme doit être considéré comme un instrument récepteur d'abord, comme un instrument émetteur ensuite; et c'est par l'instrument récepteur que nous avons expérimenté cette échelle sonore.*» (Ibidem, p. 22)

Ces découvertes donnent raison à Cayce, et à ses conseils de faire écouter de la musique aux sourds pour les délivrer de leur surdité...

LE TEMPLE DE LA BEAUTÉ

Cayce a dit et répété que la médecine qui lui servait de référence était celle de l'Égypte ancienne. Pas seulement « ancienne », comme l'entend l'archéologie officielle, non; vraiment TRÈS ancienne : Cayce lui-même donne une date : 10 000 ans avant Jésus-Christ[1]. En ce temps-là, on soignait très efficacement les gens par des méthodes oubliées, dont Cayce, au début du siècle, annonçait la redécouverte : l'aromathérapie (les huiles essentielles), la chromothérapie (les couleurs), l'électrothérapie (l'électricité), et... la musicothérapie ! En Égypte existait alors, dit Cayce, une double institution : le Temple du Sacrifice et le Temple de la Beauté, qui tenaient à la fois de l'hôpital, de l'université et du monastère. Là, les malades guérissaient grâce à un long processus de purification, à la fois spirituel, mental et physique. Au fur et à mesure que la personne se purifiait, son corps retrouvait santé et beauté. Vous avez bien remarqué la « ligne » inégalable des corps humains dans les sculptures et les bas-reliefs égyptiens. Cette beauté physique n'est pas anecdotique, elle est essentielle. Le corps, dit Cayce, est le temple de l'étincelle

1. Voir *L'Univers d'Edgar Cayce*, Tome I : « Les mystères de l'Égypte », p. 193 et suivantes.

divine. Il mérite donc qu'on travaille pour lui garder son harmonie et sa dignité. C'est un hommage rendu au Créateur, et à l'essence divine de l'Homme. Les grands initiés — qui avaìent donc parfaitement maîtrisé leur corps physique — ont toujours été beaux : c'est ce que l'on disait de Pythagore, du comte de Saint-Germain, et, dans la tradition chrétienne, des anges et des grands saints. Le Christ, Marie, disent unanimement les visionnaires et les mystiques, se manifestent dans une beauté physique absolue.

Dans la Kabbale, l'arbre des Séphiroth, qui décrit les attributs de Dieu, fait une place essentielle à la Beauté « *Tiphéret*». Voilà pourquoi le Temple égyptien, où l'on guérissait les malades, s'appelait le « Temple de la Beauté » :

« UNE PARTIE DES ACTIVITÉS DE L'ENTITÉ CONSISTAIT À COMPOSER DES CHANTS THÉRAPEUTIQUES ; ET À DONNER UNE FORMATION INTELLECTUELLE À CEUX QUI AVAIENT DÉCIDÉ, DANS LE TEMPLE DE LA BEAUTÉ, DE SE CONSACRER À DEVENIR UN CANAL SPIRITUEL. »

(Lecture 2584-1)

On fait certainement une grave erreur aujourd'hui en parquant les malades dans des hôpitaux hideux. Ça les démoralise... Et ça contribue beaucoup, à mon avis, au développement des maladies hospitalières (actuellement, 30 % des malades sortent de l'hôpital avec une maladie qu'ils n'avaient pas en y entrant). La laideur ne guérit pas les maladies, elle les aggrave ! La pensée égyptienne était formelle là-dessus. Pour Cayce, la maladie est le résultat d'une dysharmonie dans le corps mental et le corps spirituel qui se « somatise » (c'est-à-dire se traduit dans le corps physique) par la laideur et la maladie. Les deux vont de pair.

Bien sûr, il y a « la beauté du diable » : l'homme

méchant, dont l'apparence physique est séduisante. Mais pour combien de temps? Avec les années, la méchanceté se marquera sur son visage et dans son corps. A l'incarnation suivante, il renaîtra comme un handicapé (il y en a de nombreux exemples dans les dossiers d'Edgar Cayce), ou comme un monstre, une sorte d'«elephant man»...

Inversement, un homme, une femme, très avancés spirituellement, pourront être d'une laideur sympathique, comme Socrate. Mais la lumière spirituelle qui brille en eux restaurera peu à peu l'harmonie physique, dans cette incarnation ou dans la suivante.

Cayce encourageait ses consultants à travailler sur leur corps, et à lui conserver sa beauté; pour cela, il considérait le chant comme indispensable:

«APPLIQUEZ DANS LA VIE L'ART, LA MUSIQUE; UTILISEZ-LES DANS VOTRE EXPÉRIENCE DE VIE. POUR COMMENCER, CHANTEZ, FAITES DE LA MUSIQUE.»

(Lecture 5256-1)

Comme le dit le Dr Tomatis: «*On ne chante jamais assez... Chanter stimule le cerveau.*»... Pour lui, le chant est une fonction élémentaire qui a pour but de «*recharger le cerveau en énergie (...) le corps humain est un instrument chantant. En lui, tout est chant et harmonie. Tout est musique pour peu qu'il se laisse entraîner par son essence, qui, elle, est accordée avec le chant même de la Création[1]*».

C'est tout à fait la pensée de Cayce:

«IL NE S'AGIT PAS D'EN FAIRE UNE CARRIÈRE DE STAR — MAIS LA VOIX, C'EST BON, LA VOIX POUR PARLER, C'EST BON. SI VOUS LA TRAVAILLEZ, VOUS POURREZ L'EMPLOYER À L'ÉGLISE ET À LA

---

1. Dr Alfred Tomatis *L'Oreille et la Voix* — Éd. R. Laffont, 1988; ouvrage extrêmement intéressant.

MAISON (...). CELA VOUS PERMETTRA D'ÊTRE TRÈS UTILE À BIEN DES GENS, ET VOUS AIDERA AUSSI À GARDER VOTRE CHARME ET VOTRE BEAUTÉ. »

Les Égyptiens, très conscients de la structure du corps et particulièrement sensibilisés à son harmonie, le soignaient par la musique. Dans le Temple de la Beauté, on guérissait les gens par la couleur, la danse, la voix, le chant, etc. Tous les arts contribuaient à rendre au malade sa beauté physique et morale. Le Temple de la Beauté comportait donc des thérapeutes spécialisés en musicothérapie. Plusieurs des consultants de Cayce y avaient travaillé dans une vie antérieure, en Égypte. Cayce leur conseillait de reprendre la même orientation dans leur vie actuelle :

« DANS CETTE INCARNATION-LÀ, L'ENTITÉ VIVAIT DANS LE PAYS MAINTENANT CONNU COMME L'ÉGYPTE. ELLE DIRIGEAIT LES MUSICIENS D'ALORS, DONT LE RÔLE ÉTAIT D'OFFRIR AUX GENS LES ÉNERGIES VIBRATOIRES NÉCESSAIRES À LEUR GUÉRISON PHYSIQUE. ELLE ÉTAIT, EN SOMME, UNE SORTE DE MÉDECIN-CHEF, LE RESPONSABLE DE L'ENSEIGNEMENT. CELUI-CI AVAIT POUR BUT L'AMÉLIORATION DE LA RACE HUMAINE, PAR LA GUÉRISON DES MALADIES MENTALES ET CORPORELLES. »

(Lecture 4609-1)

C'était à l'époque une médecine « holistique », c'est-à-dire de l'homme global. Le malade était traité simultanément sur le plan mental et sur le plan matériel, comme on le verra dans la suite des lectures. La maladie était perçue comme un déséquilibre vibratoire, que toute la thérapie s'efforçait de corriger, absolument comme on réaccorde une guitare désaccordée ! Mais continuons la lecture.

« POUR CETTE ENTITÉ, SON TRAVAIL CONSISTAIT À CONNAÎTRE LES RÉACTIONS VIBRATOIRES DU SYSTÈME NERVEUX DANS

LE CORPS HUMAIN, SOUS L'IMPACT DES VIBRATIONS DES INS-
TRUMENTS DE MUSIQUE À CORDES ET À CORNES; ET À VOIR
COMMENT ELLE POUVAIT UTILISER CES ÉNERGIES VIBRATOIRES
DANS DIVERSES MALADIES PHYSIQUES ET MENTALES. »

(Même Lecture)

La musicothérapeute hautement spécialisée
n'avait pas oublié ses connaissances d'une incarnation à l'autre. Cayce lui conseilla de les réem-
ployer, en se situant dans une double perspective de musicienne et de spécialiste des troubles
du système nerveux :

« DE CETTE INCARNATION, IL VOUS RESTE AUJOURD'HUI CER-
TAINES TENDANCES : L'AMOUR DE LA MUSIQUE ET DE L'HARMO-
NIE; CE DÉSIR INNÉ, MAIS INSATISFAIT, DE SOIGNER LES MALA-
DIES PHYSIQUES, COMME VOUS L'AVIEZ FAIT SOUVENT JADIS. ET
CEPENDANT, ACTUELLEMENT, VOUS NE SAVEZ PAS DANS
QUELLE BRANCHE VOUS DIRIGER, DANS QUEL CHAMP D'ACTI-
VITÉ VOUS EXPRIMER. VOUS VOUS RÉALISEREZ EN UTILISANT
L'HARMONIE DES INSTRUMENTS À CORDES, POUR SOIGNER
DIVERS MAUX DE LA FAMILLE HUMAINE. »

(Même Lecture)

Au temps de Cayce, l'usage de la musique
comme outil thérapeutique commençait seulement. Et si sa consultante suivit ses conseils, elle
dut faire figure de pionnière... Cayce explique
quelque part[1] que notre époque voit arriver en
masse les réincarnations d'anciens Égyptiens :
c'est ce qui nous vaut ce regain d'intérêt public
pour l'égyptologie, et ces nouvelles découvertes
médicales. C'est particulièrement important
pour les peuples de langue française, qui, dit
Cayce, reprennent le programme cosmique de

1. *L'Univers d'Edgar Cayce*, Éd. Robert Laffont, Tome I,
pp. 306-307; et Tome II : chapitre sur les incarnations fran-
çaises.

90

l'Égypte ancienne : la beauté et le respect dû au corps.

LA MUSIQUE POUR AIDER LES MÉDECINS À FAIRE UN DIAGNOSTIC

Mes amis médecins se plaignent que faire un diagnostic est la seule chose qu'on ne leur apprend pas à la Faculté. (J'ai aussi entendu des séminaristes se plaindre qu'en sept ans de séminaire, on ne leur ait jamais appris à prier!...) Pour les médecins, c'est moins grave : ils peuvent s'aider des techniques « psi » (ce que les séminaristes n'osent pas faire : ils ont peur du diable!). J'en connais qui utilisent (très, ô très, discrètement!!!) un pendule... Parfaitement contents de la radiesthésie[1], ils ne l'avoueraient pas pour un empire ! J'en connais d'autres qui ont appris à lire les auras, dans nos ateliers en particulier. Ce qui leur permet de faire des diagnostics extraordinairement précis, longtemps avant que la maladie ne se déclare. La musique pour aider le thérapeute dans son diagnostic, c'est le conseil donné par Cayce à un médecin :

« LORSQUE VOUS ESSAYEZ DE LOCALISER LA ZONE MALADE, METTEZ DE LA MUSIQUE, TRÈS BAS — MAIS NÉANMOINS DE FAÇON À PERCEVOIR LES VIBRATIONS. VOTRE FINESSE DE PERCEPTION DEVIENDRA PLUS AIGUË, VOS DONS D'ANALYSE APPLIQUÉS À AUTRUI SE DÉVELOPPERONT. VOUS DÉCOUVRIREZ AINSI QUE LA MUSIQUE EST UNE VOIE DE PROGRÈS POUR VOUS, ET CELA, DE MULTIPLES FAÇONS (...) »

1. *Le Pendule, premières leçons de radiesthésie*, Éd Solar, 1989.

«Et quel type de musique dois-je écouter, lorsque je traite mes malades?»

«UNE MUSIQUE BASSE, MAIS LE GENRE PASTORAL.»

(Lecture 1804-1)

Autrement dit, ni rock, ni raï... mais du folklore des bergers, et en sourdine!). Oui, il faut utiliser la musique pour les diagnostics...
Comme toujours, Cayce avait ouvert la voie.
Aujourd'hui, on va beaucoup plus loin : on fait des diagnostics en écoutant la voix du malade :

«*L'Homme*, dit Marie-Louise Aucher, *peut être considéré comme un instrument émetteur (...). L'état de son squelette, des muqueuses, l'état du chanteur (...) exigent de celui-ci une discipline naturelle pour connaître, contrôler et entretenir sa santé (...)*
Un bon professeur de psychophonie devra savoir détecter toute lacune dans l'harmonie vitale de son élève. Il sera aidé dans cette espèce de diagnostic par l'altération même du son émis par son élève.
En effet, l'émission peut être gênée par un trouble respiratoire, humoral, neurologique ou autre, qui altérera l'étendue totale de la voix émise. Le professeur peut se trouver devant une seule, ou deux, ou trois notes déficientes. Celles-ci seront en rapport certain avec la distribution géographique du cliché de réceptivité des sons, dans le corps humain (...). Elles seront en rapport avec une déficience profonde ou passagère d'un ou de plusieurs organes, correspondant à la ligne horizontale où prédomine le son.»

(Maire-Louise Aucher, *L'Homme sonore*, Éd. L'Épi, pp. 24-25)

Et Marie-Louise Aucher de donner un schéma très précis des correspondances entre le corps physique et le son. Tout un travail de thérapie pourra partir de ce diagnostic, fait à partir des sons émis par la voix du malade.

«Ceci est le gros atout de la psychophonie qui, connaissant les localisations sonores, peut se servir de cette connaissance pour un usage conscient.» (Ibid. p. 28)

Et si l'on associe la couleur aux notes de la gamme musicale, c'est encore plus parlant.

MUSIQUE ET COULEURS ASSOCIÉES EN THÉRAPIE

Marie-Louise Aucher, qui a fait de nombreuses recherches sur la question, donne les équivalences suivantes :

Do = rouge
Ré = orange
Mi = jaune
Fa = vert
Sol = bleu
La = indigo
Si = violet

Cette échelle comparative est valable, dit-elle, dans 75 à 80 % des cas, s'il s'agit de femmes et d'enfants, qui sont :

«Dans le système Yin. Pour les hommes, qui sont dans une harmonie Yang, d'extraversion, on peut, d'après les coïncidences vibratoires, établir les équivalences suivantes :
Sol = rouge
La = orange
Si = jaune
Do = vert
Ré = bleu

Mi = *indigo*
Fa = *violet* »

Alors qu'elle travaillait à l'hôpital, Marie-Louise Aucher avait remarqué ces coïncidences entre sons et couleurs :

« *Ayant détecté, dit-elle, quelles étaient les régions déficientes (de l'élève malade), et les notes correspondantes, j'évoquais souvent, au cours des séances de décontraction, des couleurs. Ou plutôt, je suggérais à l'élève de me signaler la couleur qui lui plaisait le plus. Très vite, je remarquai que les sept nuances du spectre solaire semblaient coïncider avec les notes. En effet, un élève ayant un SOL déficient désirait du bleu, tandis qu'un élève ayant un DO déficient désirait du rouge.* »
(Op. cit. pp. 73-74-75)

Ce qui signifie (si l'on se reporte aux couleurs attribuées à chaque centre glandulaire par Cayce[1]) qu'une élève, « ayant un DO déficient » et qui « désirait du rouge », a des problèmes d'énergie au niveau des gonades. Autrement dit sa force vitale (ou kundalini), en principe stockée à l'étage des glandes sexuelles, est en partie bloquée, circule mal. Dans ce cas, Cayce aurait prescrit de porter une robe rouge, et de se tonifier avec de la musique militaire !
Le son étant, comme nous l'avons vu plus haut, un phénomène vibratoire exprimé aussi par la couleur, il est normal que les notes de la gamme soient en correspondance avec les couleurs du spectre. Cayce a souvent conseillé d'associer la couleur à la musique dans les traitements :

1. Cf. *L'Univers d'Edgar Cayce*, Tome II, page 48, Éd. R. Laffont.

94

« LA MUSIQUE ET LA COULEUR PEUVENT JOUER UN RÔLE TRÈS IMPORTANT, LORSQU'ON VEUT CRÉER LES VIBRATIONS NÉCESSAIRES POUR RÉÉQUILIBRER LES MALADES MENTALEMENT ET/OU PHYSIQUEMENT. »

(Lecture 1334-1)

Il dit même, dans la lecture suivante, que cette double thérapie obtiendra un résultat là où le traitement médical classique a échoué :

« LA MUSIQUE, LES TENDANCES MUSICALES, COMPTERONT BEAUCOUP DANS LES ACTIVITÉS DE L'ENTITÉ — LA MUSIQUE LE CALMERA, TOUT SPÉCIALEMENT CELLE DES INSTRUMENTS À CORDES ; CEPENDANT, LE COR, LE PIPEAU, LA FLÛTE, EXERCERONT PLUS TARD UNE INFLUENCE IMPORTANTE SUR SA VIE. LES COULEURS AURONT UNE GRANDE INFLUENCE SUR L'ACTIVITÉ DE L'ENTITÉ (...) » (Celle-ci est un tout petit bébé de cinq mois !). « CE SONT PARTICULIÈREMENT LES TONS PASTEL, CEUX QUE L'ON PEUT QUALIFIER DE SPIRITUELS, QUI INFLUENCERONT LE PLUS CETTE ENTITÉ. ET LORSQU'ELLE SERA SUR LE POINT DE TOMBER MALADE, CETTE MUSIQUE DOUCE, CES TEINTES DOUCES CALMERONT SES MAUX, LÀ OÙ LA MÉDECINE ÉCHOUERAIT. »[1]

(Lecture 773-1)

La lecture suivante fut donnée pour un débile profond :

« QUE LE CORPS DE CE MALADE PUISSE RETROUVER ET SENTIR LES VIBRATIONS DES INSTRUMENTS DE MUSIQUE À CORDES, EN ACCORD AVEC SON ORGANISME. UTILISEZ FRÉQUEMMENT LES VIBRATIONS COLORÉES AUTOUR DE CE CORPS (malade) : LE VIOLET INTENSE, LE ROUGE VIF, AFIN QUE CES COULEURS PUISSENT STIMULER SA SENSIBILITÉ, ET TROUVER LEUR CORRESPONDANCE VIBRATOIRE AVEC LE CORPS MALADE DONT NOUS PARLONS.

1. J'ai déjà donné cette lecture dans le Tome I de *L'Univers d'Edgar Cayce*, p. 103, au chapitre de la thérapie par la couleur.

UTILISEZ LES VIBRATIONS D'INSTRUMENTS DE MUSIQUE, COMME LE VIOLON, LA GUITARE — ET N'IMPORTE LEQUEL DES INSTRUMENTS QUI ATTIRERONT L'ATTENTION DU MALADE. PERSÉVÉREZ, ET VOUS VERREZ QUE CES ÉNERGIES VIBRATOIRES ÉVEILLERONT UN ÉCHO DANS LE CORPS DU MALADE, AMENANT UNE RÉACTION PHYSIQUE, QUI SE TRADUIRA DANS LA PAROLE ET L'OUÏE. »

(Lecture 4223-3)

LA MUSIQUE COMME ANESTHÉSIQUE

Nous avons vu ailleurs[1] que les Égyptiens connaissaient des techniques chirurgicales très sophistiquées — comme le scalpel électrique, par exemple. Voici une lecture qui évoque l'anesthésie par la musique :

« L'ENTITÉ ÉTAIT ALORS UNE FILLE DU GRAND' PRÊTRE (...), À CETTE ÉPOQUE QUI CONNUT UNE APOGÉE DES ACTIVITÉS SPIRITUELLES. EN CE TEMPS-LÀ, SON ART EN TANT QUE MUSICIENNE AVAIT POUR BUT D'AIDER LES ÂMES SOLITAIRES SOUFFRANT DE DÉSADAPTATION SOCIALE ; ET, DANS CETTE PÉRIODE OÙ LES OPÉRATIONS CHIRURGICALES SE FAISAIENT SOUS SUGGESTION, D'ÉLEVER L'ÂME AU-DESSUS (du corps opéré), GRÂCE AUX ACCENTS APAISANTS DE LA MUSIQUE. »

(Lecture 3234-1)

Cette étonnante lecture évoque la façon dont on anesthésiait ceux que l'on opérait dans l'Égypte ancienne ; comme la souffrance physique n'est ressentie que lorsque le malade est conscient, on doit donc l'opérer « inconscient », pour qu'il ne souffre pas. Quand est-ce qu'on est « inconscient » ? Lorsqu'on dort, par exemple : à

---

1. voir le Tome I de *L'Univers d'Edgar Cayce*.

ce moment-là, le corps spirituel et le corps mental s'éloignent du corps physique, «planent» très souvent au-dessus. Cet état est décrit dans les récits de «sortie dans l'astral», que le patient dorme de son sommeil naturel, ou qu'il soit dans d'autres types d'état [1]. Aujourd'hui, les chirurgiens ont recours à la narcose, c'est-à-dire à l'action de produits chimiques, pour plonger l'opéré dans un sommeil artificiel. Celui-ci libère l'âme du contact étroit avec le corps physique provoquant l'insensibilité à la douleur. Mais l'anesthésie chimique n'est pas sans danger. Dans l'Égypte ancienne, on avait, semble-t-il, bien mieux. Joan Grant, dans *Le Pharaon ailé* (R. Laffont), décrit ces opérations, où, pendant que le chirurgien opérait, un prêtre (ou une prêtresse) se tenait dans la pièce, pour maintenir l'âme à distance du corps :

«THE MUSIC... THAT WOULD MAKE FOR THE LIFTING OF THE SOUL WHEN OPERATIONS WERE PERFORMED», dit Cayce dans le texte original.

Et voilà la suite de la lecture :

«L'ENTITÉ MAÎTRISAIT LES INSTRUMENTS À CORDES. C'ÉTAIT ELLE ÉGALEMENT QUI TENAIT L'ORGUE, AU COURS DES EXTASES, QUI AVAIENT LIEU DANS LE TEMPLE DE LA BEAUTÉ.»

Cayce emploie le mot ECSTASIES, qui, pour être bien compris dans ce contexte, doit être suivi de l'adjectif «initiatique». On sait que, dans les «écoles des mystères» antiques, on utilisait la transe (c'est-à-dire «l'extase») comme thérapie. On retrouve cette technique dans la transe collective africaine. Malheureusement, celle-ci peut être mêlée de forces noires, en particulier dans

---

1. Voir *La Projection dans le corps astral*, de S. Muldoon et H. Carrington, aux Éditions du Rocher.

les cultes vaudous importés d'Afrique dans le Nouveau Monde. Dans le contexte dont parle Cayce, ces « EXTASES », c'est-à-dire ces transes thérapeutiques, étaient strictement contrôlées par des gens qui connaissaient leur métier (et qui, de plus, travaillaient avec une rigoureuse discipline, dans une très haute voie spirituelle). Si l'on a redécouvert actuellement cette puissante action anesthésique de la musique, elle ne s'est pas encore imposée au monde hospitalier... (J'ai pourtant à Versailles un dentiste, le Dr Tenenbaum, qui met toujours une très belle musique classique à ses patients, pendant qu'il les soigne, ayant constaté que cela aide considérablement le patient à supporter la douleur!). Cela commence tout de même à se savoir :

« Les "musiques cosmiques" actuelles visent sciemment à l'induction d'états de transe, que ce soit pour promouvoir l'expansion de conscience, ou à des fins de guérisons — ou les deux à la fois (autrement dit : "guérison par l'extase, ou extase par la guérison (...)"). De façon générale, on peut dire que la transe est une "extase", c'est-à-dire le fait d'être "transporté" dans un état de conscience non ordinaire. »
(Ralph Tegtmeier, *Guide des musiques nouvelles pour le voyage intérieur*, Éd. Le Souffle d'Or, p. 56)

LA MUSIQUE COMME ANTIDÉPRESSEUR

La dépression, que l'on a baptisée d'une foule de noms scientifiques, sans avoir vraiment réussi à la guérir, est la manifestation d'une maladie du corps spirituel et du corps mental. Insomnies, états anxieux, spasmophilie, tendances sui-

cidaires... tout cela peut s'apaiser et même se guérir par la musique. A trois conditions :
1. d'avoir sous la main la musique appropriée, (et ce n'est pas n'importe laquelle !).
2. de vouloir guérir.
3. de ne pas contrecarrer l'effet de la musique par une chimiothérapie maladroite, qui crée une dépendance, des effets secondaires, et finalement un empoisonnement chimique du corps physique.

Dans l'Égypte ancienne, on en connaissait un rayon là-dessus... Plusieurs des consultants de Cayce avaient exercé la profession de musicienne-thérapeute dans le Temple de la Beauté. Cayce leur conseille de continuer dans cette vie à utiliser la musique comme thérapie pour les malades mentaux :

« AUJOURD'HUI, L'ENTITÉ DOIT DÉVELOPPER CETTE APTITUDE À AIDER PAR LA MUSIQUE CEUX QUI SONT DANS LA DÉTRESSE. ELLE DOIT RASSURER CEUX QUI ONT PEUR, CEUX QUI DOUTENT. »

(Lecture 3234-1)

« AINSI, AUJOURD'HUI, L'ENTITÉ HÉRITE DE SES EXPÉRIENCES PASSÉES (...) CE DON D'APAISER, JUSQU'AU FOND DU CŒUR, LES ÂMES RAVAGÉES ET LES CORPS TORTURÉS : CEUX QUI SONT MINÉS PAR UNE GUERRE INTÉRIEURE, QUI SONT DÉCHIRÉS ENTRE LES DÉSIRS DE L'ESPRIT ET CEUX DE LA CHAIR, LAQUELLE EST FAIBLE... CHACUN DE CEUX-LÀ, L'ENTITÉ PEUT LES SOULAGER PAR LA PAROLE OU PAR LA MUSIQUE. »

(Lecture 276-6)

Par contre, la personne suivante est elle-même malade. Et la prescription médicale que lui donne la lecture comporte de la musique :

« CETTE PERSONNE DEVRAIT ÊTRE ENVIRONNÉE DE MUSIQUE, DE RYTHME, D'HARMONIE, DE PAIX, DE SÉRÉNITÉ — DE TOUT CE QUI SOLLICITE LA PUISSANCE (créative) DE SON IMAGINA-

TION, (...) DE FAÇON À RAMENER DES RÉACTIONS PLUS CALMES ET PLUS NORMALES. »

(Lecture 758-37)

Cayce conseille très souvent, non seulement d'écouter de la musique, mais d'en faire soi-même. L'engrenage des pensées négatives, qui crée la dysharmonie dans le mental et finit par amener les angoisses obsessionnelles, peut être brisé par la musique. Celle-ci peut être comme un dynamisant, un bain de jouvence pour le mental (si elle est choisie de façon appropriée), car

« LA MUSIQUE, EN ELLE-MÊME, EST UN MOYEN, UNE FAÇON D'EXPRIMER LES HARMONIES DU MENTAL, EN RELATION AVEC LES IDÉES ET LES IDÉAUX SPIRITUELS ».

(Lecture 949-13)

Si l'on est déprimé, et que l'on écoute une musique harmonieuse, écho de la musique des sphères spirituelles, on se rebranche automatiquement sur le rayonnement des énergies cosmiques, qui sont joyeuses et constructrices :

« AINSI LE RYTHME, L'HARMONIE DANS LES SONS ET LES TONS EXPRIMÉS, DE PAR LEUR NATURE MÊME, RÉVEILLENT CHEZ CEUX QUI LES ÉCOUTENT L'ACTIVITÉ DE L'ESPRIT OU DE L'ÂME, DANS LA DIRECTION INDIQUÉE PAR L'HARMONIE ELLE-MÊME. »

(Lecture 949-13)

La guérison des maladies mentales, des troubles psychologiques, sera d'autant plus efficace qu'on remettra le malade en contact avec la Nature. Celle-ci touchera l'âme malade :

« COMME LE FAIT LA ROSE PAR SA BEAUTÉ, COMME LE FAIT LA MUSIQUE DES SPHÈRES CÉLESTES, QUI TOUCHE CE QU'IL Y A DE PLUS INTIME DANS LA RELATION QUE L'ÂME — QUEL QUE SOIT

SON CORPS — ENTRETIENT AVEC LA FORCE CRÉATRICE QUI L'A
ENGENDRÉE.»

(Lecture 294-155)

MUSIQUE ET ÉLECTROTHÉRAPIE

Il y a un ensemble de lectures tout à fait extraordinaires, et très modernes, sur l'électrothérapie associée à la musicothérapie. Les voici:

**«Serait-il souhaitable pour moi de consacrer
tout mon temps à l'étude de la musique, pour
acquérir une bonne connaissance de l'influence
des énergies mentales sur l'individu?»**

«COMME NOUS L'AVONS DÉJÀ DIT, IL VAUDRAIT MIEUX QUE
CES RECHERCHES SUR LA MUSIQUE N'OCCUPENT QU'UNE PAR-
TIE DE VOTRE TEMPS. CONSACREZ LA MAJEURE PARTIE DE
VOTRE TEMPS AUX TECHNIQUES ÉLECTRIQUES APPLIQUÉES AU
CORPS LUI-MÊME (c'est-à-dire l'électrothérapie).»

**«Dans quelle école, plus précisément, ou dans
quelle thèse trouverai-je la possibilité d'appro-
fondir mes recherches sur les champs d'énergies, c'est-à-dire sur la musique des sphères?»**
(Dont Cayce lui a parlé dans une première lecture.)

«DANS LES BASSES FRÉQUENCES, QUI INDUISENT LA VIE!»

**«Que voulez-vous dire lorsque vous parlez de
l'aspect rythmique de mon développement et
de mon expérience, et comment dois-je comprendre cela?»**

«C'EST INDIQUÉ DANS CE QUE NOUS AVONS DÉJÀ DIT CONCERNANT LES DÉTAILS MATÉRIELS (de votre vie): VOYEZ-VOUS, LES VIBRATIONS RYTHMIQUES DU CORPS — TOUT COMME LA MUSIQUE — DÉCLENCHENT DES IMPULSIONS ÉLEC-TRIQUES QUI PARCOURENT LE CORPS PHYSIQUE. DE LA MÊME FAÇON, LORSQUE LE CERVEAU AGIT SUR LE SYSTÈME NERVEUX, IL PEUT RALENTIR CES VIBRATIONS. D'OÙ L'INTÉRÊT D'UNE RECHERCHE SUR LA MUSIQUE, MENÉE CONJOINTEMENT AVEC UNE RECHERCHE SUR L'ÉLECTRICITÉ ET LES APPLICATIONS DE L'ÉLECTRICITÉ AU CORPS HUMAIN. RECHERCHES QUI, MENÉES PAR UN SPÉCIALISTE DES DEUX DISCIPLINES, APPORTERONT À L'ENTITÉ UNE MEILLEURE COMPRÉHENSION DE SES PRO-BLÈMES.

CAR BIEN DES INDIVIDUS, DONT LE CERVEAU A SOUFFERT, POURRAIENT ÊTRE SOIGNÉS PAR L'ÉLECTRICITÉ ET PAR LA MUSI-QUE: CELLES-CI POURRAIENT RÉGÉNÉRER LES CELLULES EN-DOMMAGÉES, REDYNAMISANT LEUR ÉNERGIES MOLÉCULAIRE EN LES REVIVIFIANT.»

(Lecture 933-2)

Et Cayce de développer ici l'une de ses thèses favorites: la régénérescence des cellules détruites. D'après lui, les cellules sont conscientes[1]. Elles « savent » qu'elles ont un travail à faire. On peut les encourager, en leur envoyant de l'énergie sous forme de pensée... Cette fameuse énergie mentale sur laquelle voudrait travailler le jeune scientifi-que qui a demandé la lecture! Les résultats, affirme Cayce, seront encore meilleurs si l'énergie créatrice de chaque cellule est stimulée par la musique et par l'électricité. Les cellules activées seront alors capables de produire d'autres cellules pour remplacer celles qui ont été détruites — même les cellules de la « matière grise » du cer-veau! Alors qu'à l'époque de Cayce, on croyait que c'était impossible — et c'est encore la pensée de la médecine majoritaire!

1. Cf *Les Remèdes d'Edgar Cayce*, Dr Mac Garey, Éd. du Rocher, 1988.

« CAR BEAUCOUP D'INDIVIDUS, QUI ONT SOUFFERT DE TRAU-
MATISMES AU CERVEAU, PEUVENT ÊTRE SOIGNÉS PAR L'ÉLECTRI-
CITÉ ET LA MUSIQUE, QUI PERMETTRONT DE RÉGÉNÉRER CES
CELLULES (du tissu cérébral). EN EFFET, (électricité et musi-
que) FAVORISENT LA COHÉSION DES ÉNERGIES DE L'ATOME ET
LEUR RÉGÉNÉRATION, PAR L'ABSORPTION DES COURANTS ÉLEC-
TRIQUES QUI PASSENT D'UNE CELLULE À L'AUTRE. CAR, SI
CELLES-CI SONT ISOLÉES LES UNES DES AUTRES ET MANQUENT
D'UNE BONNE COORDINATION, ELLES S'AUTODÉTRUISENT. ON
LE VOIT, PAR EXEMPLE, DANS CERTAINES FORMES DE DÉMENCE,
DANS CERTAINS DÉLIRES MYSTIQUES, OÙ LE MALADE EST SUR-
EXCITÉ ; CE QUI AMÈNE UNE DÉCONNEXION ENTRE LE SPIRI-
TUEL ET LE MATÉRIEL, SUITE À LA DÉFAILLANCE DES ÉNERGIES
VIBRATOIRES DU CORPS PHYSIQUE. »

« Existe-t-il des livres, ou des thèses, ou des
cours, que vous me conseilleriez pour m'aider
dans ce programme d'études ? »

« COMME NOUS VOUS L'AVONS INDIQUÉ, COMMENCEZ
D'ABORD PAR ÉTUDIER LES BASES DE LA PHYSIQUE, DE LA BIO-
LOGIE, DE LA PATHOLOGIE — ET L'EMPLOI DES VIBRATIONS
MUSICALES DANS CES DIVERSES DISCIPLINES. »

(Lecture 933-2)

Plus tard, pour le même consultant, Cayce dit
encore :

« VOTRE TALENT INNÉ DE MUSICIEN DOIT ÊTRE EMPLOYÉ —
ET LE SERA ! VOUS DEVRIEZ PLUS SOUVENT FAIRE APPEL À CE
DON DE LA MUSIQUE QUE VOUS AVEZ DEPUIS LA NAISSANCE, ET
QUI VOUS EST SI NATUREL, LORSQUE VOUS TRAVERSEZ DES
CRISES D'INDÉCISION, DES PÉRIODES DE SOLITUDE, DE REMISE
EN QUESTION. VOUS Y TROUVERIEZ UNE INFLUENCE APAI-
SANTE (...).
DONC, PLUTÔT QUE DE RESTER DANS CES TRAVAUX ROUTI-
NIERS DES ÉTUDES DE BIOLOGIE, PRÉPAREZ-VOUS DAVANTAGE
À DES TRAVAUX QUI RENDRONT VOTRE VIE UTILE ; TRAVAILLEZ
SUR LA MUSIQUE, QUI FAIT VIBRER LE CORPS DE LA MÊME

FAÇON QUE L'ÉLECTROTHÉRAPIE, QUI UTILISE LES BASSES FRÉ-
QUENCES ÉLECTRIQUES (...).

CAR CE SONT LES FRÉQUENCES ÉLECTRIQUES LES PLUS
BASSES QUI INDUISENT LES FORCES CRÉATRICES LES PLUS ÉLE-
VÉES. CE SONT LES HAUTES FRÉQUENCES QUI DÉTRUISENT. »

(Lecture 933-3)

« Monsieur Cayce, comment puis-je utiliser la
musique et les basses fréquences, en électricité,
pour guérir — comme il m'a été suggéré, par
votre intermédiaire ? »

« CHAQUE ENTITÉ INDIVIDUELLE VIBRE SUR UNE LONGUEUR
D'ONDE DÉTERMINÉE. TOUT MALAISE, TOUTE MALADIE CRÉE
DANS LE CORPS UNE VIBRATION DIVERGENTE, C'EST-À-DIRE UNE
VIBRATION DYSHARMONIQUE, OPPOSÉE À CELLE DONT A
BESOIN L'INDIVIDU ».

(Lecture 1861-2)

Ce passage très important, que j'ai déjà donné
dans *L'Univers d'Edgar Cayce* (Tome I, p. 107),
résume toute la pensée de Cayce sur la maladie.
En bref, tout est vibration. Toute pensée dysharmonique (traduite ou non en acte et en émotion) se traduit par une longueur d'onde pertur-
batrice. C'est cela qui, à court ou long terme,
crée la maladie, en introduisant des discor-
dances vibratoires entre les différentes parties
du corps, et entre les trois corps d'un individu.
L'organe touché émet des vibrations dysharmo-
niques : vibrations sonores, qui se perçoivent
déjà au son de la voix du malade ; vibrations
lumineuses, immédiatement évidentes aussi
dans l'aura. Les cellules de cet organe malade
sont alors dans une situation de détresse, prises
dans un flot vibratoire discordant. Cependant,
elles « souhaitent » se remettre sur la longueur
d'onde juste. Mais n'y parviennent pas. Cayce
reprend la vieille théorie gréco-égyptienne de la

«Nature Médicatrice». Autrement dit, la certitude que la Nature est fondamentalement orientée vers la santé, et que notre corps physique, si on ne le contrarie pas, cherche constamment à se mettre en état d'équilibre. Si cet équilibre est momentanément détruit, cette sagesse du corps va se traduire par un effort constant des cellules pour réparer les dégâts. Si on l'aide un tout petit peu, la partie est gagnée! La musique, par ses vibrations, peut redynamiser les cellules dans leur travail, en leur apportant cette énergie vitale dont elles manquaient:

«SI L'ON UTILISE (...) CERTAINES VIBRATIONS EXTÉRIEURES COMME STIMULI, IL PEUT Y AVOIR UNE RÉPONSE. DANS CERTAINS CAS, C'EST NÉCESSAIRE POUR CONTRE-ATTAQUER. DANS D'AUTRES, SEULEMENT POUR MODIFIER LE TERRAIN.

AINSI, LA MEILLEURE VOIE EST D'ABORD, AVEC CEUX QUI T'ENTOURENT, TES ÉLÈVES, TES ASSOCIÉS OU TA FEMME, DE DÉVELOPPER LA CONNAISSANCE DE LA VIBRATION JUSTE, QUI SERA EN ACCORD AVEC LA VIBRATION DU CORPS (à guérir).

ÉVIDEMMENT, L'HUMEUR CHANGE SOUVENT, EN APPARENCE, LE NIVEAU VIBRATOIRE. CEPENDANT, À FORCE D'ÉTUDES, DE PRATIQUE ET D'EFFORTS, LE NIVEAU VIBRATOIRE DU CORPS PEUT ÊTRE IDENTIFIÉ AVEC CERTITUDE.

AUSSI SERAIT-IL NÉCESSAIRE DE S'EN AIDER POUR GUÉRIR, EN DISSIPANT LES PERTURBATIONS. ET C'EST DE CELA QU'ON A BESOIN POUR SOIGNER TA PROPRE ÉPOUSE, QUI SE PRÊTERA TRÈS BIEN À CE TRAITEMENT. CELA TE PERMETTRA DE T'EXERCER.»

(Lecture 1861-12)

«Mais comment l'appliquer?»

«EH BIEN, COMME NOUS VENONS DE LE DIRE: EN TROUVANT À QUOI RÉPOND LE CORPS-ESPRIT (du malade); PAS CE QU'IL AIME OU N'AIME PAS, MAIS CE QUI FAIT VIBRER UNE CORDE À L'INTÉRIEUR DE LA CONSCIENCE DE L'INDIVIDU, VOIS-TU?»

(même lecture)

«Y a-t-il des compositions de sons à employer dans cette thérapie?»

"R", "O" ET "M" EST UNE COMBINAISON SONORE QUI VIBRE JUSQU'AUX FORCES CENTRALES DU CORPS LUI-MÊME. DANS N'IMPORTE QUELLE COMPOSITION DONT ELLE FAIT PARTIE, L'INDIVIDU (malade) TROUVERA CE QUI LUI EST NÉCESSAIRE. MAIS (attention) CE QUI PEUT GUÉRIR L'UN, PEUT ÊTRE DÉCONSEILLÉ À L'AUTRE.»

«Faudra-t-il que je revienne vous consulter plus tard?»

«OH, ÉCOUTEZ, COMMENCEZ DÉJÀ PAR METTRE EN PRATIQUE UNE PARTIE DE CE QUI VOUS EST DONNÉ, AVANT DE PENSER À DEMANDER DE NOUVELLES INFORMATIONS!»

(Lecture 1861-12)

On ne manie pas encore très bien les traitements par l'électricité[1] — et encore moins bien la combinaison musicothérapie-électrothérapie. Beaucoup d'erreurs ont été faites, beaucoup de massacres, au cours des périodes de tâtonnements — en particulier dans l'abus des électrochocs.

Il est certain, dit Simonne Brousse, que:

«Notre corps est synchronisé avec le Cosmos.» (Ce qui est une façon plus moderne de présenter les théories de Cayce.)

«Comme une cerise dans l'eau-de-vie, notre corps baigne donc dans l'énergie, dans les énergies, imbibé par celles que nous envoient le Soleil, la Lune, les rayons cosmiques.»

1. Voir cependant les passionnants travaux de l'École de Nancy, dans le livre extraordinaire de Simonne Brousse: *L'Équilibre de l'énergie humaine, clé de la santé*, Éd. du Rocher, 1987.

106

Ainsi, nous baignons dans un champ d'énergies invisibles, dans un champ d'énergies électriques. L'Homme

« baigne littéralement dans les rayonnements divers auxquels il est soumis dans la Nature ».

« Or il est, bien sûr, lui-même animé par une énergie électrique qui réagit aux phénomènes électriques de son environnement. » (Op. cit. p. 182)

Pour qu'il reste en bonne santé, ces énergies ambiantes extérieures ne doivent pas être en dysharmonie avec son énergie intérieure. Les travaux de l'École de Nancy avaient mis en évidence

« qu'il y avait, sous-jacent à la structure matérielle du corps humain, à la structure cellulaire, et même infracellulaire, un réseau prééminent et directeur de la cellule matérielle — qui est l'électricité. Mais l'électricité au sens biologique du terme, c'est-à-dire aux grandeurs cellulaires, c'est-à-dire infimes. Et cela, l'École de Nancy va le démontrer, et en découvrir l'importance de centaines de milliers d'observations ». (Op. cit., p. 30)

De ces travaux scientifiques naîtra chez nous une méthode d'électrothérapie, qui guérira des milliers de malades. « *L'être humain*, dit encore Simonne Brousse, *c'est 60 000 milliards d'usines fonctionnant à l'électricité.* » (Op. cit., p. 58). 60 000 milliards de cellules, que l'on peut aider et stimuler dans leur travail par des vibrations électriques extérieures, soigneusement choisies, et renforcées par la musique !

LA GUÉRISON PAR LA PRIÈRE ET PAR LA VOIX

Dans les groupes de « healing », c'est-à-dire de guérison par la prière et l'imposition des mains, une partie du travail se fait par le canal de la voix. On lit tout haut le nom des absents, qui ont demandé que l'on prie pour eux, et on les entoure mentalement de lumière. Dans ce cas, la guérison passe par l'énoncé vocal du nom du malade. Et lorsqu'on impose les mains sur quelqu'un pour le guérir, on peut également s'aider d'incantations ou de prières vocales (si toutefois cela ne gêne pas les voisins !) : la guérison passe alors non seulement par les mains mais encore par la voix. L'impact vocal peut être aussi important que le contact des mains. Il peut aussi le remplacer, comme on le voit dans l'Évangile, lorsque le Christ disait à un malade, sans le toucher : « Lève-toi et marche ! » Et que la foule, médusée, voyait le grabataire se lever et repartir, en embarquant son grabat sur son dos !

Guérir les autres par la voix suppose toujours que l'on se soit, préalablement, branché sur l'Énergie Divine par la méditation (même très rapidement, quand on en a l'habitude ça vient très vite !). Lorsque Cayce en parlait dans ses lectures, ses pauvres chers copains de l'époque héroïque, sa famille admirative (mais épouvantée !) n'y comprenaient goutte ! Quand Cayce disait aux braves petites dames de son groupe de healing

« QU'IL FALLAIT FAIRE MONTER LES VIBRATIONS DES CENTRES GLANDULAIRES MAJEURS » [1]

1. *L'Univers d'Edgar Cayce*, Éd. R. Laffont, Tome II, pp. 35 et suiv.

afin que le healing puisse avoir une influence «SUR LA STRUCTURE ATOMIQUE DES CELLULES», il n'était encore qu'un précurseur méconnu. Et pourtant, ses explications sont tout à fait cohérentes avec ce que découvre la Science aujourd'hui. Elle finira par reconnaître comme valables les explications scientifiques données par Cayce lui-même sur les mécanismes de la guérison «psi».[1]

A ce propos, je me souviens de ce que racontaient des amis, qui revenaient d'un voyage aux Philippines. Guérisseurs eux-mêmes, vous pensez s'ils avaient avidement traqué la supercherie — les blancs de poulet et le sang de lapin, destinés à impressionner ces naïfs d'Occidentaux! Apparemment, les guérisseurs de là-bas, dûment prévenus de l'arrivée d'un charter de confrères français, n'avaient pas tenté de truquer. A leur question (ingénue): «Dites-nous, entre confrères, comment faites-vous pour opérer à main nue, sans anesthésie, ni scalpel?», les Philippins avaient fait une réponse tout à fait «caycienne»:

«Nous prions en visualisant le corps humain comme liquide.»

On n'a pas assez dit que tout ce travail se faisait dans une ambiance saturée de prières — à voix haute et à voix basse. Les guérisseurs philippins sont catholiques, officiellement. Quelle que soit leur théologie exacte, ce sont des gens qui ont la foi. Et je crois personnellement que le rôle des invocations est très important dans cette ambiance de prière intense. Je n'y ai pas été, mais bien des gens m'ont raconté comment les assistants des guérisseurs décourageaient tout bavardage, en disant aux étrangers: «Priez avec nous.»

De toute façon, cette explication «nous visualisons le corps comme liquide» repose sur un principe cher à Cayce: l'immense pouvoir du mental (d'où son emploi actuel dans les thérapeutiques

1. Ibidem, pp. 62 et 63.

par visualisation). L'énergie mentale émet des vibrations tellement puissantes qu'elles sont capables d'agir sur la matière — et donc sur un corps humain. Plus encore, lorsque cette énergie mentale s'extériorise par les vibrations du son et de la voix, spécialement par les incantations, ces vibrations émises par le guérisseur (ou mieux, un groupe de guérisseurs), peuvent provoquer momentanément et localement, le passage de l'état solide à l'état liquide. Logique : ce passage est lié à un changement du niveau vibratoire. Cayce, comme les Philippins, a toujours considéré que c'était possible. Et si c'est possible, qu'est-ce qui empêcherait un chirurgien philippin d'« ouvrir » à main nue un abdomen de « gringo » ? D'en retirer tranquillement la tumeur ? Et de refermer quelques minutes plus tard les deux lèvres de la plaie, en les caressant du plat de la main ? Pourquoi pas ? Il faudra bien un jour aussi que l'on explique certains faits étranges — y compris les miracles de la Tradition (par exemple, cet épisode biblique où les Apôtres sortent entiers de leur prison, toujours fermée à clé, en passant à travers les murs (*Actes*, V, 19 à 24)). Ou encore le cas d'un ingénieur qui, sous le sceau du secret, me raconta l'histoire suivante : « Mon neveu vient de passer son bac. Hier soir, en rentrant de la dernière épreuve, il s'est retrouvé chez lui, dans sa chambre — la porte étant restée fermée à clé, et la clé était restée à l'extérieur... ainsi que son portedocument ! Il est terriblement perturbé par cette histoire. Est-ce qu'il a fabulé ? Est-ce que je suis fou, ou quoi ? Est-ce qu'il existe des cas de gens qui sont passés à travers les portes ? Sous l'influence de drogues ? Mon neveu s'était copieusement "dopé" aux amphétamines — ou à autre chose — avant son bac... Je vous en supplie, ne racontez jamais cette histoire à personne, on me ferait enfermer ! » (Je ne vous donnerai pas le nom du pauvre oncle... qu'il veuille bien me pardonner d'avoir livré son secret en pâture à mes lecteurs! Mais comme l'histoire a plus de dix ans d'âge, je suppose qu'il y a prescription!)

Bien sûr, «on» n'explique pas encore... «On» expliquera un jour, à grand renfort de mots scientifiques: «Mais quoi, c'est simplement une question de désassembler, puis de réassembler les atomes, grâce à un changement vibratoire.» Les ufologues affirment que c'est ce que disent les extra-terrestres, lors des rencontres du Quatrième Type. Why not? En tout cas, c'est parfaitement dans la perspective caycienne. Dans la pensée de Cayce, prière, méditation, musique et thérapie sont liées:

«Monsieur Cayce, j'ai vu chacune des personnes inscrites sur la liste de notre groupe de prière comme une note de musique, pendant que nous nous efforcions de nous brancher sur la Présence Divine. Le Maître Musicien, le Christ, commença à jouer des notes, et l'harmonie devint complète. J'ai senti que c'était une illustration des vibrations qui sont en jeu dans la guérison. Est-ce bien comme cela que se passe la guérison?»

«CELA EN EST UNE MAGNIFIQUE ILLUSTRATION. MAIS NE PENSEZ PAS QUE CE SOIT SEULEMENT CELA: L'ESPRIT HUMAIN NE PEUT PAS CONCEVOIR TOUT CE QUE PEUT RÉALISER LE MAÎTRE MUSICIEN, DANS SA PUISSANCE (...)»

«Est-ce pour cela que, très souvent, j'entends de la musique et les paroles d'un hymne, qui sont là?»

«ALORS CHANTEZ-LE! CELA AIDERA QUELQU'UN. C'EST-À-DIRE, CHANTEZ-LE DU MIEUX QUE VOUS POUVEZ!»

(Lecture 281-8)

On se souvient du fameux docteur Balint, médecin d'origine anglaise, qui estimait que le meilleur médicament était toujours le médecin lui-même. Mais, qu'hélas, dans les Facultés de médecine, on ne lui apprenait guère à s'administrer efficacement! Je suis bien persuadée que la première arme du « médecin-médicament », c'est la voix...

LA VOIX HUMAINE :
UN MERVEILLEUX OUTIL DE
GUÉRISON

Nous avons vu, au chapitre précédent, que les incantations faisaient partie des techniques égyptiennes — non seulement pour la prière, mais encore pour la guérison des malades. On retrouve cet usage des incantations dans toutes les traditions ésotériques anciennes. On finira par y revenir et les utiliser, ces formes oubliées de thérapie par la voix !

Pour l'instant, le corps médical observe d'un œil tantôt intéressé tantôt sceptique, les recherches des psychologues. Ceux-ci ont été frappés, depuis plus d'un siècle, par ce qui se passe lors des séances d'hypnose. Plus intéressante encore est la sophrologie, créée à Barcelone, en 1960, par le psychiatre Alfonso Caycedo :

« Elle tire ses origines de l'hypnose, mais en diffère par (...) l'économie de tout le rituel d'induction. Il n'existe pas de substitution de la volonté d'un individu à celle d'un autre ; le langage utilisé est le "terpnos logos[1]". La

1. C'est-à-dire une voix incantatoire, une voix suave, d'un débit fluide, assez lent. Elle doit rassurer le patient, lui donner une impression de sérénité totale, de calme inébranlable, pour lui permettre de se laisser aller jusqu'aux frontières du sommeil (il ne s'agit pas d'endormir le patient, mais de l'inciter au voyage intérieur).

qualité et le timbre de la voix, joints au choix des mots, permettent un discours d'une qualité particulière, qui plonge le patient dans l'état de relaxation. »[1]

Bien sûr, l'Histoire récente nous a donné quelques occasions de réfléchir à la puissance occulte de la voix : celle d'un seul homme peut faire plonger tout un peuple dans une folie collective. Hitler envoûtait les foules par sa seule voix. Personne ne comprend encore pourquoi : j'ai entendu de vieux enregistrements, avec déception : le sortilège ne joue plus, la voix nous paraît aujourd'hui tout à fait ordinaire !

La voix est un canal, qui transmet bien plus que le simple mot, la simple phrase : elle émet des sons, qui ont une cadence, un rythme, des vibrations sur certaines longueurs d'ondes précises. On n'aura jamais fini d'analyser le fameux Prologue de Jean :

« Au commencement était le Verbe
« Et le Verbe était avec Dieu
« Et le Verbe était Dieu
« Il était au commencement avec Dieu
« Tout a été fait par lui
« Et de ce qui a été fait, rien n'a été fait sans Lui ».

(Jean, I, 1,3)

J'en ai parlé plus haut, évoquant l'interprétation qui en est donnée par certains : le Verbe est musique. Dieu est musique... Et l'on retrouve l'idée pythagoricienne d'un Dieu musicien et mathématicien, qui créa le Monde avec des nombres. Ce sublime Prologue fonde à la fois la thérapie par la musique et la thérapie par la voix. On peut traduire ainsi : « Tout a été crée par la

---

1. Wilfrid Chettéoui : *La Nouvelle Parapsychologie*, Éd. F. Lanore — F. Sorlot, pp. 107-108.

musique et par la voix. » Plus tard, à la suite d'une ténébreuse affaire encore mal éclaircie, une partie de ce qui a été créé a été détruit, gâché par un empêcheur-de-tourner-en-rond.

Notre travail à nous autres, thérapeutes spirituels, est de re-créer les êtres qui ont été détruits — ou du moins très abîmés. Nous devons donc les re-créer, grâce au Verbe : voix et musique. J'y pense chaque fois que je donne une conférence, ou une émission de radio ou de TV. Et je prie le Verbe de bien vouloir Se manifester à travers moi — qu'aucune émotion négative ne L'en empêche. Cayce répète si souvent que nous devons « CANALISER » (« CHANNEL ») les vibrations divines :

« LE BUT, C'EST D'ÊTRE UN CANAL À TRAVERS LEQUEL L'AMOUR DE DIEU POURRA SE MANIFESTER. »

(Lecture 281-27)

Mais attention ! Un canal, par principe, ça a deux bouts. Et ce qui coule dans un sens peut aussi couler en sens inverse... Le bon comme le mauvais !

J'ai remarqué moi-même la fatique qui me saisit, après certains coups de téléphone. En particulier, ceux d'un certain membre de ma proche famille. Ce monsieur m'appelait fréquemment, uniquement pour se recharger sur le plan énergétique : au moyen d'un simple fil téléphonique, il faisait son plein d'énergie vitale — la mienne ! —, dont il se nourrissait. Une fois, comme ça, pour voir, j'ai lâché une cascade de vérités désagréables (que j'avais en stock depuis longtemps !). Le lendemain, imperturbable, il me rappellait comme si de rien n'était. Ou plutôt, comme si le contenu de mes paroles avait moins d'importance que le son de ma voix. Un jour de calmes équatoriaux, je finis par lui demander d'analyser l'effet que lui faisaient nos entretiens téléphoniques. Il admit parfaitement que peu importait la chanson, seul comptait l'air pour lui! Le son de ma voix suffisait à le recharger pour la journée (et moi à m'épuiser itouhhhhh!). Depuis, j'ai retrouvé une vie antérieure essénienne, où j'avais été initiée à l'art de guérir par la voix. Le monsieur était-il un de mes anciens malades, dans cette incarnation-là?

On se souvient aussi de la tradition antique, qui recommandait à l'initié de ne pas dilapider son énergie par le souffle des paroles. Tradition connue aussi en Extrême-Orient:

« Si, immédiatement après le réveil, vous parlez trop, cela gaspillera votre énergie vitale », dit maître Mantak Chia, promoteur de la guérison selon la philosophie taoïste[1].

Honnis soient les affreux qui m'appellent dès potron-minet pour me demander une consultation (que je refuse!). Mieux vaut le matin faire quelques exercices pour travailler le souffle, que de gaspiller son énergie aux quatre vents.

LA PUISSANCE DU SOUFFLE

La respiration, le souffle, alimentent la voix:

« Monsieur Cayce, conseillez-nous un exercice de souffle pour développer physiquement, mentalement et spirituellement ce consultant. »

---

1. Mantak Chia: *Taoists ways to transformation into vitality*, p. 114, The Healing Tao, Taci Books, Huntington, New York, 11743.

« VOICI UN EXERCICE POUR LE MATIN ET POUR LE SOIR, QUI SERAIT EXCELLENT : LE MATIN, AU LEVER, IL VOUS FAUT PLEIN D'AIR FRAIS. HAUSSEZ-VOUS DOUCEMENT SUR LA POINTE DES ORTEILS, EN ÉTIRANT EN MÊME TEMPS LES BRAS AU-DESSUS DE LA TÊTE, AU FUR ET À MESURE QUE LE CORPS SE DÉPLIE LUI-MÊME EN S'ÉLEVANT. INSPIREZ PARTICULIÈREMENT PAR LA NARINE DROITE, EXPIRANT PAR LA BOUCHE. AU MOINS TROIS FOIS ! ENSUITE, TROIS FOIS À TRAVERS LA NARINE GAUCHE, TOUJOURS EN EXPIRANT PAR LA BOUCHE. CE SERAIT BIEN DE RÉPÉTER L'EXERCICE LE SOIR. »

(Lecture 1861-10)

Tous ceux qui ont travaillé le chant, la danse et le théâtre, savent l'importance du travail sur la respiration. Ce « travail du souffle » :

« Prédisposera le chanteur à une expiration correcte et facile, ou au contraire, partielle et difficile. Il s'ensuivra toute une technique de la tenue, de la façon de s'asseoir, de marcher, de gesticuler, qui exigera une coordination harmonieuse de tous les plans du corps, permettant d'acquérir en même temps que l'équilibre et la force, la souplesse et la grâce. » (Marie-Louise Aucher, op. cit., pp. 31, 32)

La prolifération des écoles de yoga a également amené le public à pressentir l'importance d'une respiration bien placée. Pendant longtemps, j'ai recommandé le yoga à mes élèves, lecteurs et auditeurs. Sans avoir fait le tour des 99 999 postures, que l'Inde prétend avoir recensées, mon amour bien connu de la vie animale m'a encouragée à m'intéresser à ce zoo indien. C'est ainsi que je me suis essayée à pratiquer, avec une raideur toute occidentale, le « Cobra », le « Serpent », la « Sauterelle », la « Grenouille », le « Corbeau », le « Paon », le « Poisson », l'« Oiseau »... J'avais même réussi à faire fleurir très convenablement le « Lotus », et mon enthousiasme a mis des années à mollir ! Plus tard, j'ai exploré le tai chi chuan,

116

où il fallait «caresser la queue du Tigre» (et dans le sens du poil!). Là aussi, le chasseur de fauves devait bien se garder de respirer de travers...

Cayce a donné dans ses lectures pas mal d'exercices, qui ressemblent comme deux gouttes d'eau du Gange aux «asanas» du yoga, et même aux «séquences» du tai chi. A la Fondation Cayce, j'ai participé avec beaucoup de joie au cours de yoga de Carol[1], qui est de loin le meilleur que j'aie jamais vu. Il vaut le déplacement!

Ceci pour dire que j'ai été extrêmement yogaphile, à cent pour cent! Et maintenant, je suis contre — à cinquante pour cent... Pourquoi? Parce qu'on assiste actuellement à une dégradation naissante de l'enseignement du yoga. Pour le «faire passer» dans le grand public, on a «laïcisé» son enseignement. On l'a expurgé de toute référence spirituelle. (Cela me fait penser à un vieux copain de jeunesse qui se vantait de pratiquer le «Kama Soutra», expurgé de tout emballage religieux... et à qui cela n'a pas réussi!)

Dans le yoga, le travail du souffle qui permet d'«ouvrir» les centres glandulaires, afin de faire circuler l'énergie vitale, («kundalini» en Inde, «Chi» dans le tao chinois) est fait maintenant à tort et à travers. Dans les écoles, les apprentis yogateux n'en soupçonnent ni la finalité spirituelle... ni les dangers. Cela fait plusieurs fois, personnellement, que je croise sur ma route des écoles de yoga infestées de vibrations négatives, parasitées par des entités douteuses, et où l'ambiance est rien moins que bonne.

Or Cayce avait donné des avertissements précis, et répétés, sur les risques qu'il y a à s'embarquer dans un travail du souffle, sans savoir où l'on va:

---

1. *Carol's morning yoga*, A.R.E. Tapes, The Edgar Cayce Foundation (pour ceux qui parlent couramment l'américain).

« LA PERSONNE QUI PRATIQUE CES EXERCICES DOIT AVOIR UNE PARFAITE COMPRÉHENSION DE CE QU'ELLE EST EN TRAIN DE FAIRE, ET DE CE QUI SE PASSE DANS SON CORPS À CE MOMENT-LÀ. LE SOUFFLE ÉTANT LA BASE DE L'ACTIVITÉ DE TOUT L'ORGANISME, DE TELS EXERCICES PEUVENT ÊTRE SOIT BÉNÉFIQUES, SOIT DESTRUCTEURS... »

(Lecture 2475-1, dont j'ai cité de beaucoup plus larges extraits dans *L'Univers d'Edgar Cayce*, Tome I, p. 42)

Marie-Louise Aucher, bien d'accord avec Cayce, prend également soin, en ce qui concerne les exercices respiratoires, « *de mettre en garde les explorateurs naïfs et bien intentionnés* » (op. cit., p. 36).

LA VIBRATION DIVINE DANS CHAQUE LANGUE

Pour guérir avec ce merveilleux outil que Dieu nous a donné, la voix humaine, il ne devrait pas y avoir de questions de nationalité. Le vrai guérisseur spirituel guérit son malade, même s'ils parlent une langue qui leur est étrangère à l'un ou l'autre.

La voix est un canal... Canal d'informations pour un diagnostic (même par téléphone !), mais canal aussi par lequel on peut transmettre des énergies de guérison.

Si un étranger consulte un médecin de médecine « majoritaire », l'obstacle de la langue est certain : l'angoisse va s'installer entre le malade, anxieux de ne pouvoir exprimer ses symptômes, et le toubib qui n'y pige que couic...

Le guérisseur spirituel, lui, ou le médecin « branché » sur des valeurs universelles, percevra

118

le malade par autre chose que la logique des mots : il analysera le son de sa voix, interprétera ses gestes, son teint, ses tics, son aura...

Certains ont naturellement ce don — c'est-à-dire la maturité spirituelle — de comprendre les inconnus qui parlent une autre langue :

« C'EST QUELQU'UN QUI A REÇU LE DON DE COMPRENDRE CEUX QUE L'ON APPELLE LES INDIENS, QU'ELLE QUE SOIT LEUR FORME D'EXPRESSION VOCALE OU LEURS INCANTATIONS (...). CAR CE QUI EST VÉHICULÉ DANS LES RELATIONS D'UN PEUPLE À L'AUTRE, N'EST PAS COMPRIS PAR CELUI QUI VIENT D'UN ENVIRONNEMENT DIFFÉRENT — COMME EN FRANCE OU BIEN AUX ÉTATS-UNIS. NON, CELA N'EST PAS COMPRIS. MAIS PARTOUT OU CE LANGAGE EXPRIME LA FOI, L'ESPOIR, LA BONTÉ, L'AMOUR, IL DEVIENT UN LANGAGE UNIVERSEL, QUI VA DROIT AU CŒUR ET À L'ÂME DE TOUS — COMME LE FAIT LA MUSIQUE ! »

(Lecture 294-55)

Cayce prend l'exemple de la France et des États-Unis, pour montrer combien il est difficile de se comprendre d'un pays à l'autre. Je l'ai souvent expérimenté durant mes séjours là-bas : les mots, même ceux qui sont semblables aux nôtres pour désigner la même chose, ont une charge émotionnelle différente.

A propos des États-Unis, le Dr Tomatis fait une amusante observation :

« L'américain... est un anglais déformé parce que les gens le parlent d'une façon différente de celle des Britanniques. Ils parlent "du nez". Il est en effet facile de parler du nez en Amérique du Nord, quelle que soit la langue choisie : l'anglais, le français, l'italien, etc. Toutes les langues sont nasonnées, et elles le sont comme la langue amérindienne de ce même continent. C'est le matériau du lieu qui suscite ce type d'émission. Ce matériau, l'air bien entendu, vibre avec une dominante de 1 500 Hz

d'où la coloration nasale que l'on découvre sur ce continent. [1]»

Chaque continent émet une harmonie sonore spécifique, que les peuples traduisent par des sons différents d'un lieu à l'autre... Mais les hommes et les femmes de bonne volonté peuvent toujours s'entendre : l'amour vrai vole bien plus haut que les barrières de la langue !

LA LANGUE UNIQUE DES PREMIERS JOURS DU MONDE

« Il existe vraisemblablement, dit le Dr Lefébure[2], *un langage de la Nature (...), qui est la racine presque cachée de tous les autres, lesquels ne sont que des déformations, par suite de perte de contact avec la source véritable du langage. »*

La Tradition affirme qu'à l'origine, toute la Terre parlait la même langue — et que l'Homme pouvait, dans cette langue, parler avec les animaux. La Bible le dit : *« En ce temps-là, tout le monde se servait d'une même langue, avec les mêmes mots »* (Genèse, 11,1). C'est seulement à partir de cette folle entreprise que fut la Tour de Babel que naquirent des langues différentes. Anne-Catherine Emmerich, elle, dans ses *Visions*[3], estime que la langue originelle était l'hébreu. On a bien sûr une lecture de Cayce sur cette langue unique et universelle des commencements. Je dis « bien

1. Dr A. Tomatis, *L'Oreille et la Voix*, p. 318.
2. Op. cit.
3. Anne-Catherine Emmerich, *Visions*, Éd. Tequi.

sûr» parce que tout ce qui est affirmé dans les anciennes traditions se retrouve chez Cayce :

«CAR (...) DANS CE TEMPS-LÀ (...) IL N'Y AVAIT QU'UNE SEULE LANGUE (sur toute la Terre) QUI PERMETTAIT DE SE COMPRENDRE. IL N'Y AVAIT PAS ENCORE EU DE DIVISION DES LANGUES DANS CE PAYS-LÀ (Cayce parle de l'Égypte). CELA COMMENÇAIT SEULEMENT EN ATLANTIDE.»

(Lecture 294-148) [1]

L'actuelle division en langues n'empêche pas les gens spirituellement évolués de s'apprécier, et d'utiliser la voix pour guérir. A la Fondation Cayce, on m'a une fois imposé les mains avec des prières en japonais! Je me souviens également, et avec succès d'un exercice de groupe lors de l'université d'été : dans cet exercice, chacun devait exprimer son vécu à tour de rôle. Lorsque vint mon tour, l'animatrice me demanda de le faire en français. Sachant que personne dans l'assemblée ne parlait ma langue maternelle, je m'en étonnai :

— Je peux tout de même m'exprimer en américain. Si je parle français, personne ne va comprendre...

— Aucune importance, répondit l'animatrice, approuvée par plusieurs participants. Ce que nous voulons, c'est entendre la musique que fait la langue française. C'est tellement joli!

Je me levai, et répétai mon compte rendu en français. Les participants applaudirent! J'en pleurai d'émotion.

Pour en revenir à l'importance de la langue dans la relation malade-thérapeute, résumons-nous : si vous cherchez un médecin pour vous expliquer, il est prudent d'en prendre un qui dise «Aïe, aïe, aïe» dans la même langue que vous. Et si c'est un guérisseur que vous cherchez,

1. *L'Univers d'Edgar Cayce*, Éd. R. Laffont, Tome I, p. 201.

121

ça n'a aucune importance! La seule question est de trouver un thérapeute réellement branché sur les énergies divines!

LA GUÉRISON PAR LES ONOMATOPÉES

En réalité, ce que le malade dans son inquiétude ignore en général, c'est que «Aïe, aïe, aïe» se dit pareil dans toutes les langues:

«Si nous éprouvons une douleur physique ou mentale, nous obtiendrons dans une certaine mesure une transmutation de la souffrance en intensifiant son intérieur par la répétition du mantra AI. La douleur paraît plus faible, parce que le son prend une plus grande intensité. L'énergie nerveuse de la souffrance morale ou physique est consommée de façon à provoquer une plus grande énergie de la pensée rythmée. (...) Ce qui donne à la pensée des pouvoirs particuliers. Or, l'expérience montre que ce son AI (que l'on peut aussi écrire AHI) est celui qui permet le plus facilement cette transmutation de la souffrance.»

Le Dr Lefébure conseille d'en utiliser aussi une variante: «AIN», et de la répéter lentement: *«Le "A" pendant l'inspiration, le "I" pendant la partie rapide de l'expiration et le "N" pendant la partie lente (...). On observera une grande relaxation[1].»*
Marie-Louise Aucher, dont nous avons déjà mentionné les travaux, relève que les onomatopées, c'est-à-dire les émissions de son spontanées,

1. Dr Francis Lefébure, *Le Nom naturel de Dieu, OM et les mantras*, p. 64.

«Oh», «Ah», «Hihi», etc., permettent de comprendre *la géographie corporelle* de la personne qui les émet :

« L'expression instinctive des émotions distribue, en effet, tout au long de notre corps des points de jaillissements spontanés aux lieux mêmes, où les phénomènes d'inhibition accusent les processus de blocage et de contraction, que les sujets angoissés ne connaissent que trop. Ces régions, préfrontale, diaphragmatique et périnéale tressaillent spontanément à l'évocation de situations affectives, s'extériorisant par des exclamations "Héhé", "Hum", "Hihi", "Ha", etc.» (L'Homme sonore, pp. 45-46).

On notera que les points cités par Marie-Louise Aucher correspondent aux centres glandulaires décrits par Cayce, qui contrôlent l'expression des émotions :
— au niveau frontal : hypophyse (pituitaire) et pinéale
— au niveau du diaphragme et du plexus solaire : surrénales
— au niveau périnéal : gonades (glandes sexuelles).
L'astrologie, d'ailleurs, dans sa description du corps physique, donne les mêmes points clés pour l'expression des émotions : le niveau des gonades est régi par la Balance (Vénus) et le Scorpion (Mars) ; le niveau du diaphragme est régi par le Cancer (la Lune) ; le niveau frontal par le Bélier (Mars). Ajoutons que l'astrologie — comme la philosophie du Tao — reconnaît que tout dans le Cosmos fonctionne par bipolarité. Les points clés du corps sont donc liés deux par deux, comme le sont en astrologie médicale les signes opposés. La plupart des symptômes de maladie dans la tête (régie par le Bélier) ont leur origine dans un mauvais fonctionnement, à l'étage des reins et des surrénales (régis par le

signe opposé, la Balance) — et vice versa (par exemple, beaucoup de migraines sont dues à un dysfonctionnement des reins). Les troubles au niveau de la gorge (Taureau) ont leur origine à l'étage des voies génitales et du côlon (Scorpion). (Par exemple, le mal de gorge est le produit de la constipation chronique.)

A chacun de ces organes correspondent un ou plusieurs sons (et une ou plusieurs couleurs) avec lesquels on peut les traiter[1]. Par exemple, à l'étage périnéal (gonades) correspond le rouge, dont l'équivalence est le DO (pour les femmes et les enfants), et le SOL (pour les hommes), comme nous l'avons déjà vu.

Les onomatopées sont, en fait, des mantras naturels; elles permettent, par le son, d'évacuer les « hauts et bas » émotionnels qui pourraient perturber l'équilibre général. Marie-Louise Aucher faisait aussi remarquer que les onomatopées provenaient, dans le corps, « de pointes de jaillissement » qui sont toujours *des points d'appui du souffle, à sa naissance et à son aboutissement»* (op. cit. p. 45). C'était bien connu de la médecine taoïste ancienne, qui enseignait à soigner les maladies par l'émission du son spécifique à chaque organe malade. Maître Mantak Chia recommande à ses élèves dix sons de base, que l'on émet chaque fois dans une position précise (assis ou couché), pendant un temps déterminé, et en concentrant sa visualisation sur l'organe à soigner. Par exemple, si vous voulez guérir votre cœur, vous vous asseyez calmement (« calme et droit »), en vous concentrant sur sa représentation mentale. Ensuite, en étendant les bras à l'horizontale, puis vers le haut, à la verticale, vous émettez à mi-voix le son « Hôôôôôô... » sur une expiration. Vous imaginez votre cœur se

---

1. Chaque centre glandulaire majeur correspond aussi à une couleur. Voir *L'Univers d'Edgar Cayce*, Tome II, p. 48.

vidant de sa fermentation due à une surchauffe du muscle, et se vidant également de ses sentiments négatifs, comme l'impatience ou l'orgueil. Vous devez aussi imaginer un rouge brillant, associé aux qualités de joie, de sincérité, de droiture, de créativité qui appartiennent symboliquement au cœur (exactement ce que dit notre astrologie, qui attribue au Lion, maître du cœur, ces qualités, ainsi que l'élément feu et la couleur rouge). Ce son soigne aussi les reins. « HOUouououou » soigne la rate et l'estomac, « SSSSSS » soigne le foie, etc.[1] On retrouve là un parallèle avec l'enseignement de Cayce, qui insiste toujours sur l'efficacité du mantra « A.R.E.I.O.OU.M. ».

LES AFFIRMATIONS

A mi-chemin entre la « formule magique », le « mot de passe », « le mantra » et l'incantation, existe aussi ce que l'on appelle des « affirmations ». L'un des plus fameux exemples est celui du Dr Coué, qui donnait à répéter à ses malades : *« Tous les jours, à tous points de vue, je me porte mieux. »* On s'est beaucoup moqué de lui — à tort. Cayce, lui aussi, a donné beaucoup d'affirmations à répéter tout haut pour s'en imprégner, en utilisant la puissance de la voix. Par exemple :

« SEIGNEUR, PAR TA BONTÉ, AIDE-MOI À VIVRE DE TELLE SORTE QUE JE PUISSE GARDER MON MOI PROFOND EN ACCORD AVEC TA LOI. »

(Lecture 281-17)

1. Maître Mantak Chia, *Healing Tao*, 2 Creskill Place, Huntington, New York 11743.

Je n'en ai guère traduit beaucoup jusqu'ici, de ces «affirmations», pour ne pas lasser mon lecteur européen avec un abus de citations bibliques (les «affirmations» de Cayce sont, en général, paraphrasées de la Bible — ce qui est très intéressant, parce que cela nous amène à méditer sur la portée insoupçonnée de versets trop connus. Cependant, en Europe, nous ne sommes pas uniquement branchés sur les Écritures, comme le sont les Américains du «Bible Belt», auxquels s'adressait Cayce et pour qui la Bible était la seule référence culturelle). D'autres écoles de pensée spirituelles enseignent des affirmations, comme: «Je suis la Paix, je suis la Joie, je suis l'Amour», à répéter quotidiennement. Pratique qui, menée intelligemment, peut certainement amener un apaisement général des maux du corps et de l'esprit.

Que l'on utilise la voix humaine — votre voix! — sous forme d'incantations, d'affirmations, de mantras ou de «terpnos logos», il ne faut jamais perdre de vue qu'elle est un magnifique médicament!

Ce n'est pas pour rien que Cayce conseille à tout le monde de chanter (lecture 3386-1)[1], de chantonner, même si c'est faux comme une casserole. Aucune importance: ça fait du bien, c'est ça qui compte! Lorsqu'il s'agit de soigner quelqu'un — soi-même ou les autres — on ne pense jamais assez aux vertus thérapeutiques de la voix!

---

1. *L'Univers d'Edgar Cayce*, Tome I, p. 107.

L'UTILISATION DU SON POUR LES CURES DE RAJEUNISSEMENT

C'est l'histoire incroyable du Grand Prêtre Ra-Ta, qui, comme le raconte Cayce, subit une cure de rajeunissement qui lui rendit toute sa verdeur. Il put ainsi reprendre son poste de quasi-pharaon absolu à la tête de l'Égypte[1].
La lecture suivante parle de ces techniques de « RÉGÉNÉRATION » du corps humain usé :

> « CELLE-CI SE FAISAIT, POUR LA PLUS GRANDE PARTIE, PAR UNE SÉRIE DE PROCESSUS OÙ L'ENTITÉ ELLE-MÊME JOUAIT UN RÔLE ACTIF : CES INCANTATIONS PERMETTAIENT À L'ACTION DES ÉNERGIES SPIRITUELLES DE TRANSCENDER LA MATIÈRE. C'EST COMME CELA QUE L'ENTITÉ VÉCUT CE QUE L'ON COMPTERAIT AUJOURD'HUI COMME DEUX CENT CINQUANTE-QUATRE ANS. »

(Lecture 949-12)

Alors ça, c'est plus fort que de jouer au bouchon ! Vous me prenez un vieux scribe égrotant, vous me l'installez sous un obélisque, et vous me le faites répéter mille fois, de sa voix chevrotante : « Je suis jeune, je suis beau, je suis fort, j'ai toutes mes dents, j'ai vingt ans. » Et quand vous revenez, qu'est-ce que vous retrouvez là ? Le David de Michel-Ange ! Du vieux crabe, plus aucune trace... Je me demande si j'exagère (à peine ?). Et à quoi ça ressemblait vraiment, ces cures de rajeunissement de la haute époque égyptienne ?
Bien sûr, les incantations, mantras, affirmations et autres formules magiques n'étaient pro-

1. Cf. l'histoire de Ra-Ta racontée plus en détail dans *L'Univers d'Edgar Cayce*, Tome I, pp. 201 à 206

bablement pas suffisants. Intervenaient sûrement de la musique, des projections sonores diverses, un régime alimentaire (ou un jeûne), des exercices, des massages...

Comme disaient les prêtres égyptiens au sage Solon : « *Vous autres, Athéniens, vous êtes des enfants, vous ne savez rien.* » Eh oui, chers lecteurs du pays de Descartes, nous avons encore tout à apprendre ! J'espère toujours faire partager à mes lecteurs cette joie intense (on peut même dire cette ivresse !) de découvrir des secrets — les possibilités fantastiques de l'Homme de demain ! Bien sûr, je suis comme tout le monde, je m'use dans la vie quotidienne et sa grisaille, parfois. Mais Cayce est pour moi comme une fenêtre ouverte sur l'an 2000 ! Les espaces infinis, les mondes sublimes qu'on ira visiter demain !

LA MÉDECINE DE L'HABITAT : GÉOBIOLOGIE ET MUSIQUE

Ces dernières années ont vu le développement de ce que l'on appelle géobiologie, ou encore médecine de l'habitat : on s'est aperçu que les maisons pouvaient être malades, et qu'il fallait les soigner. Pis encore, elles pouvaient rendre malades leurs habitants.

Une maison ancienne, un monument qui a traversé les siècles, sont comme des entités. Il s'y forme un égrégore des vibrations, bonnes ou mauvaises. Il y habite certainement des « esprits du lieu », ou « génies du lieu », qui président à sa destinée. On a eu tort de négliger la vieille tradition celtique qui prescrivait de les honorer... Un jour, on retrouvera le contact avec ces esprits de la Nature, ces esprits des éléments que l'on a injustement oubliés.

L'«égrégore» d'un lieu (ce qui résume son histoire, sa vocation, ses potentialités telluriques[1], la somme des vibrations humaines et spirituelles qu'il a reçues) émet comme une symphonie :

«CHAQUE FOYER, CHAQUE SALLE, CHAQUE ÉDIFICE A SA VIBRATION PARTICULIÈRE, RESSENTIE COMME TELLE. PARFOIS CELA DÉGAGE DE L'HARMONIE, PARFOIS DE LA DYSHARMONIE.»

(Lecture 2881-3)

La France abonde en vieilles maisons maléfiques (où, par exemple, se succèdent les accidents violents, les morts mystérieuses... et les propriétaires!). Que ceux d'entre mes lecteurs qui ont dans leur maison de famille des problèmes de ce genre se rassurent : ça se soigne! Pas seulement les habitants vivants (et morts, qui sont les «fantômes»), mais les murs aussi. Et comment? Par la musique répond Cayce :

«PAR LA MUSIQUE (...), UTILISÉE COMME OUTIL, ON PEUT TROUVER UN MOYEN D'APPROCHE POUR ÉVALUER CE QU'IL FAUT FAIRE DANS CHAQUE CAS INDIVIDUEL.»

(Même Lecture)

Notre géobiologie n'en est pas encore là, mais on y viendra. Dans certains des ateliers que j'anime, on s'occupe de ces entités invisibles qui empoisonnent l'atmosphère. Notre but est de leur apporter de l'énergie et de la lumière pour

---

1. Chaque lieu, du point de vue géologique (ou «tellurique»), émet une musique que les habitants traduisent dans leur folklore. Ce n'est pas un hasard, si à *Naples, au pied du Vésuve, une des plus fécondes et célèbres traditions d'opéra, celle de l'école napolitaine, s'est constituée au pied de l'un des plus célèbres volcans du monde».* Dominique Bourlet, *Le Vlac, approche napolitaine du chant lyrique,* p. 30. Éd. Van de Velde (Paris).

les aider à quitter les lieux (car ces entités sont piégées dans le monde matériel de la Terre qui fut le leur). Certaines nous ont demandé des chants... On se souvient que les diverses liturgies chrétiennes chantaient pour les morts — et qu'il est encore d'usage d'offrir la musique d'une très belle grand-messe chantée à ceux qui viennent de nous quitter. Il ne fait pas de doute pour moi que la musique peut être une aide pour ces défunts qui traînent, qui n'arrivent pas à prendre leur envol — pour ces « âmes en peine » comme on disait autrefois. (J'ai appris très récemment les faits suivants : nombre de spectateurs de la Scala de Milan ont « vu » apparaître la Callas sur la scène... Du côté des artistes, c'est la terreur : beaucoup affirment l'avoir rencontrée dans les coulisses !)

Dans les « maisons à problème », celles qui dégagent ces vibrations de malaise, on finit toujours par découvrir ces entités piégées. Mais Cayce a l'air de dire que l'on pourrait également diagnostiquer, et même corriger, les défauts techniques des bâtiments, et le mauvais tellurisme...

CONSTRUIRE LA CITÉ DE DEMAIN PAR LA MUSIQUE

Demain, nous aurons vaincu la vieillesse, la mort, la maladie, la guerre, la haine. Ça vaut le coup de se battre aujourd'hui.

Cayce nous rappelle très souvent que nous devons travailler à l'avènement de ce Nouvel Age d'or, qui commencera avec l'Ère du Verseau[1].

1. Cf. *Les Prophèties d'Edgar Cayce*, Le Rocher, 1989.

Nous devons y travailler en nous-même, sur le plan personnel — mais aussi sur le plan national —, chaque fois que nous le pouvons :

« COMME IL VOUS A DÉJÀ ÉTÉ CONSEILLÉ, VOUS DEVRIEZ AIDER PAR LE MÉCÉNAT CEUX QUI S'EFFORCENT, PAR LA MUSIQUE ET LA VOIX, DE CONTRIBUER AU BIEN GÉNÉRAL, C'EST-À-DIRE QUI METTENT LEUR TALENT MUSICAL AU SERVICE DU PUBLIC. VOUS DEVIEZ LES AIDER. »

(Lecture 5355-1)

Or, s'il y a bien une tâche urgente à l'heure actuelle, c'est d'éduquer l'opinion publique : il faudrait lui apprendre à discerner entre les musiques qui guérissent et les musiques qui tuent. Si l'Occident est malade, n'est-ce pas dû — entre autres causes — à certaines musiques qui transforment leurs auditeurs en zombies ? Les gens qui font de la musique un business égoïste, ne se souciant que de gagner de l'argent, portent une lourde responsabilité. Ils travaillent pour les Forces Noires, et peu de gens s'en doutent. Cayce avait déjà mis en garde contre l'utilisation destructrice de la musique. On va le voir dans le chapitre suivant.

V
LES MUSIQUES QUI TUENT

La musique, oui, peut tuer, et Cayce le rappelle avec netteté. Créatrice ou destructrice, au choix. Cela dépend du type de musique, et de l'usage qu'on en fait.

> «CAR LA MUSIQUE EST DU DOMAINE DE L'ÂME — ET L'ON PEUT DEVENIR MALADE DANS SON ESPRIT ET SON ÂME, À CAUSE DE LA MUSIQUE. C'EST-À-DIRE MALADE DANS SON ESPRIT ET SON ÂME, À CAUSE DE CERTAINES MUSIQUES.»

> (Lecture 5401-1)

Ce thème du bon et mauvais usage de la musique revient très souvent dans les lectures :

> «LA VIE, DANS SA MANIFESTATION, EST VIBRATION. L'ÉLECTRICITÉ EST VIBRATION. MAIS IL Y A LA VIBRATION CRÉATRICE, QUI EST UNE CHOSE. ET LA VIBRATION DESTRUCTRICE, QUI EST AUTRE CHOSE.»

> (Lecture 1861-16)

Comme dit le professeur Tomatis :

« Certains sons auront des effets que n'auront pas certains autres. C'est ainsi que les sons riches en harmoniques élevées auront une action énergétisante sur le plan de la capitalisation potentielle : je les ai de la sorte dénommés *sons de charge. Par contre d'autres sons situés dans la zone des graves épuiseront les réserves accumulées jusqu'à provoquer parfois l'exténuation totale du sujet qui y est soumis : c'est la raison pour laquelle je les ai* dénommés *sons de décharge. »*
La musique et ses effets neuro-psycho-physiologiques, par le Pr A. Tomatis, XIIIᵉ congrès de l'ISME, London, Canada, Août 1978.)

JÉRICHO ET LES ATLANTES

On devrait relire avec une autre approche la célèbre histoire des trompettes de Jéricho. Voici le texte de la Bible :

« Yahvé dit à Josué : "Vois, Je livre entre tes mains Jéricho et son roi. Vous tous, les combattants, les vaillants guerriers, vous ferez le tour de la ville pendant six jours (...) ; le septième, vous en ferez sept fois le tour et les prêtres sonneront de la trompette. Lorsque la corne de bélier retentira, c'est-à-dire lorsque vous entendrez sonner la trompette, vous, le peuple, vous pousserez un formidable cri de guerre et le mur de la ville s'effondrera". »
(Livre de Josué, chap. VI)

Dans ce texte, le son qui détruit provient de deux sources : d'abord d'une musique (probablement très spéciale), émise par un instrument ; et ensuite de la voix humaine : un cri de guerre, sortant de centaines de poitrines d'assaillants surexcités ! On ne sait pas très bien comment était conçu l'instrument de musique dont parle le livre de Josué; il s'agit de la trompette dite «corne de bélier» (en hébreu, «shofar»). Dans plusieurs autres passages de la Bible, elle est donnée comme porteuse d'une force magique (Exode XIX, 6 et 19). Les Israélites avaient trop longtemps séjourné en Égypte pour ignorer les compétences de ce pays en matière de magie: on sait que les magiciens égyptiens étaient considérés comme les plus forts dans tout le monde antique.

Aujourd'hui, on n'a plus besoin de faire appel à la magie pour expliquer l'écroulement des murs de Jéricho: on a découvert que certains sons, très bas, et infrasons, peuvent dégager une puissance telle qu'ils provoquent l'écroulement des bâtiments, et même éventuellement d'une ville entière! De terrifiantes expériences scientifiques ont été menées dans plusieurs laboratoires, particulièrement en France, à Marseille. La seule question, finalement, est de savoir produire une puissance, une intensité de son suffisante. L'électronique nous donne aujourd'hui cette possibilité. Ainsi se trouve mise entre nos mains une arme terrible. On ne priera jamais assez pour demander que personne ne l'emploie!

Cayce a très longuement parlé de la réincarnation massive des Atlantes à notre époque — ces Atlantes qui reviennent avec leurs talents et leurs vices[1], et qui savaient utiliser la puissance du son pour détruire.

L'écrivain-médium Cyril Scott complète ce qu'en dit Cayce:

«Dans les dernières phases de cette puissante civilisation, la science des sons commença d'être mise au service des forces destructrices. Les sons discordants furent délibérément employés dans un but de démolition et de désintégration, et la pratique de la magie à des fins

---

1. *L'Univers d'Edgar Cayce*, Éd. R. Laffont, Tomes I et II.

néfastes fut responsable de la chute du continent. Avec cet engloutissement, ce fut non seulement la période noire de la musique qui disparut, mais encore la connaissance des applications scientifiques pratiques de la puissance des sons, cette connaissance qui avait contribué à précipiter la catastrophe. » (Op. cit. pp. 178 et 179)

Et Cyril Scott d'estimer que : « *Debussy fut l'un des premiers compositeurs (modernes) à avoir eu pour tâche d'introduire cette "surtonalité" de la musique des Atlantes !* »

Reste la deuxième arme employée contre la malheureuse Jéricho, le « banzaï » massif de nos samouraïs hébreux. Effet de démoralisation garanti sur les assiégés, doublé d'un effet tonique sur les assiégeants ! La voix, placée comme il faut, peut en effet avoir une action destructrice très efficace. C'est la raison des « cris de guerre » traditionnels, que l'on retrouve dans le monde entier, quelle que soit la civilisation (amérindienne, japonaise, africaine..., chez nous, au Moyen Age, Montjoie Saint-Denis[1] !). Dans *Le Soldat oublié* (Éd. Robert Laffont), Guy Sajer raconte comment les troupes russes, pendant la dernière guerre mondiale, attaquaient avec un cri de guerre répercuté par des milliers de combattants.

Il y a des mantras négatifs comme il y a des mantras positifs.

Les rituels de sorcellerie de tous les pays emploient des formules vocales efficaces. Car, dit Henri Durville :

« *La parole humaine, par son rythme incantatoire, "accroche" des vibrations de l'Univers, émet des harmo-*

---

1. Et jusqu'au journal de l'Armée du Salut, qui s'intitule : *Le Cri de guerre.*

nies célestes, mais peut aussi (...) déclencher des remous dangereux, pernicieux et destructeurs (...). Celui qui évoque Satan (...), le sorcier, (...) utilise des rythmes maléfiques d'où naissent des vibrations annihilantes. » (Henri Durville, *Le Dragon*, Éditions H. Durville, Paris, 1951.)

L'efficacité des formules employées par les sorciers repose sur les vibrations engendrées par la Parole. C'est la parole qui peut imposer, au sein des objets et des forces, ces effets dont ils ne paraissent pas capables. (...) Le sorcier emploie des imprécations, le jeu violenté des sons violents, qui désorganisent le silence (...). Ces paroles, consacrées par l'usage rituel, modèlent l'éther et créent des forces (...). L'évocation doit être formulée sur un certain mode, car la prononciation des mots engendre des possibilités plus grandes d'atteindre les rythmes, dont l'évocateur connaît les exigences. Tout se correspond: le rythme du mot, le rythme du son et du ton (...). Là réside la valeur incantatoire d'un appel; car le seul fait d'émettre certains sons, ayant acquis une force de rite, ébranle dans l'Invisible des rythmes puissants. » (Op. cit., pp. 387-388.)

Parallèlement à cette utilisation des formules magiques pour détruire, s'est développée l'utilisation d'autres formules magiques — pour se protéger des influences destructrices:

« L'ENTITÉ GAGNA SUR TOUS LES PLANS DANS CETTE EXPÉRIENCE-LÀ SUR LA TERRE. ALORS QU'À CETTE ÉPOQUE LA NATION ÉTAIT EN TRAIN DE SE FORMER, L'ENTITÉ COMPOSA DES CHANTS QUI DEVINRENT PLUS TARD, POUR BEAUCOUP, UNE PROTECTION CONTRE LES INFLUENCES MALÉFIQUES. »

(Lecture 942-12)

C'est la raison profonde pour laquelle, autrefois, les parents donnaient aux enfants un prénom « de bon augure », pour les protéger: Félicité, Prosper, Lucie, Claire, Théodore, Dieudonné, Gilles (d'«Egide», le bouclier protecteur de la mythologie grecque); ou encore un prénom évoquant la force victorieuse du mal : Victoire, Léon, Éléonore, Martial, Vital, Séraphin, Reine, Hercule... Voilà aussi pourquoi on donnait chez nous des noms de saints aux enfants. Cayce a l'air de dire que cet usage n'est pas si idiot, et que le prénom peut être un très efficace mantra positif et protecteur !

«POUR CETTE ENTITÉ, IL SERAIT BIEN QU'EN PRONONÇANT SON NOM, EN L'ÉCRIVANT, TOUT CE QUE CELA IMPLIQUE — LA VIBRATION, L'EFFET HARMONIEUX DE CETTE VIBRATION — DEVIENNE PRESQUE UN BOUCLIER PROTECTEUR DANS SA VIE.»

(Lecture 1770-2)

Si les pouvoirs «psi» sont normalement le fruit d'un développement spirituel (dans cette vie-ci ou dans une précédente) obtenu par un long travail sur soi-même, par des études sur le pouvoir du son, il y a des mages noirs qui utilisent ces pouvoirs au service de la destruction. Les biens, matériels et spirituels, que l'on a acquis peuvent toujours être mal utilisés : l'initié peut retourner sa veste et devenir un sorcier. J'ai rencontré des mages noirs qui utilisaient les puissances du son, pour séduire et asservir leurs semblables... Mais les forces de l'ombre, auxquelles ils font appel, reviendront un jour en boomerang les détruire. Comme le dit Cayce :

«EN COMMENÇANT AVEC L'INCANTATION "AR-AR-R-R-", LE «E-E-E», LE «M-M», FAIS MONTER (ces notes) EN TOI-MÊME ; ET AINSI TU T'APPROCHES DE LA PRÉSENCE DE TON CRÉATEUR — QUE TU PERÇOIS EN TOI. MAIS CEUX QUI FONT CELA POUR DES MOTIFS ÉGOÏSTES TRAVAILLENT À LEUR DESTRUCTION.»

(Lecture 281-28)

LE BRUIT QUI TUE A PETIT FEU

La « VIBRATION DESTRUCTRICE », dont parle Cayce, est non seulement capable, dans des circonstances exceptionnelles, de détruire une maison, une ville, un continent entier, mais encore, à un degré moins violent, de nous démolir à petit feu dans la vie de tous les jours. C'est plus sournois, et non moins pernicieux :

« Le bruit n'est pas qu'une sensation gênante, à laquelle on s'habitue, ou une source de surdité professionnelle, mais le grand facteur de déséquilibre nerveux dans le monde moderne », dit Marie-Louise Aucher (*L'Homme sonore*[1], p. 7). Et elle en explique le mécanisme : *« L'effet convulsivant s'accompagne d'une perturbation générale au niveau de tous les viscères, et de troubles névrotiques. »*

Et voici ce qu'en dit Simonne Brousse, journaliste médicale :

« Les sondages le prouvent, le bruit est considéré par la population comme la nuisance majeure de notre temps. Et de très scientifiques études ont été menées à ce sujet (...)
Le bruit est essentiellement provoqué par des stimulations sonores qui sont elles-mêmes le fait de phénomènes vibratoires. Ces vibrations, qui ont une "fréquence" déterminée, sont transmises à l'air ambiant qui propage le phénomène vibratoire sous la forme de variations de pression, à une vitesse de 340 mètres/seconde environ. Ces vibrations peuvent être perçues par l'oreille sous forme sonore, mais il ne faut pas oublier que certains instruments produisent, en plus des sons, des vibrations mécaniques qui peuvent jouer un rôle analogue au bruit

1. L'Épi, éditeur.

par un mécanisme de transmission osseuse (marteaux piqueurs, par exemple (...).

Le récepteur sonore est constitué par l'oreille (...). Celle-ci fonctionne comme une sorte de filtre ou de diaphragme qui permet, dans des conditions physiologiques normales, d'augmenter ou de diminuer automatiquement, par voie réflexe, la quantité d'intensité sonore reçue. Cependant, si l'intensité sonore est trop forte, le filtre peut être forcé et les organes récepteurs sont fortement agressés par des intensités non contrôlées. Ce forcement du diaphragme sonore est ressenti par le sujet qui perçoit un son trop intense, comme une douleur aiguë et violente à l'intérieur de l'oreille, laquelle provient d'une sorte de "crampe" des muscles audio-régulateurs. (...)

Quand le diaphragme ostéo-musculaire d'admission est forcé par un son trop violent, les stimulations viennent alors anormalement frapper les structures nerveuses très délicates des cellules de Corti, au niveau de la cochlée[1], puis, de là, vont anormalement stimuler les récepteurs de l'écorce cérébrale. Des troubles graves peuvent ainsi être provoqués (...)

C'est ainsi que se produisent des surdités plus ou moins définitives[2].

On s'est aperçu que les éventuels dommages auditifs n'étaient qu'un aspect très restreint de la nocivité des bruits; et que des bruits, continuels, même peu intenses, étaient susceptibles d'entraîner des troubles physiologiques, en dehors même de la sphère auditive. Le bruit se révèle ainsi une des sources les plus importantes des nui-

---

1. Cochlée: ou limaçon, partie de l'oreille interne en forme de coquille de limaçon.
2. Dans une enquête de 1981, faite aux États-Unis par le Pr J.V. Bradye, et publiée par la revue américaine *Vibrations*, il est rapporté que vingt millions d'Américains ont des troubles de l'audition, dont une large partie peut être imputée au bruit, y compris parmi les enfants d'âge scolaire. Par ailleurs, des otorhinolaryngologistes, en France, m'ont signalé que les jeunes, adeptes du «walkman», qui vivent des heures durant avec les écouteurs aux oreilles, présentent, souvent, des signes de surdité.

sances de notre environnement et se trouve à l'origine du déclenchement des mécanismes de "stress", ayant des effets sur le système nerveux central. Il peut y avoir des modifications importantes du rythme cardiaque, des poussées brutales d'hypertension artérielle, une fatigabilité inexpliquée, des troubles digestifs divers, etc. Le manque de concentration de l'attention est également un sujet d'agacement pour le patient qui constate des troubles de la mémoire et la difficulté de trouver ses mots, même dans la conversation courante. Les troubles du sommeil qui accompagnent souvent ces déficiences aggravent encore l'état psychologique en diminuant la qualité du travail, ce qui va conduire fréquemment à l'apparition de syndromes dépressifs (...)

Le sujet a les nerfs à vif. Et cette anxiété peut évoluer dans deux directions. Ou bien le sujet va devenir agressif, intolérant à tout, et présenter de fréquentes crises coléreuses, pouvant l'entraîner, excédé par la répétition des bruits agressifs, à des actes de destruction voire à des actes criminels (de graves questions médico-légales peuvent alors se poser aux magistrats qui sont amenés à décider de la responsabilité véritable de ces "blessés du bruit"). Ou bien il va, progressivement, s'enfoncer dans un état dépressif, avec repli sur lui-même, indifférence à ce qui l'entoure et un isolement qui va le mener rapidement vers une perte de toute activité sociale, cette tendance dépressive pouvant être la source de drames familiaux et aboutir au suicide.

Il faut souvent de nombreux mois, parfois des années, aux victimes d'agressions sonores prolongées pour récupérer un équilibre biologique et surtout psychologique, après la cessation des traumatismes. »

(Professeur Soulairac, revue *Après-demain*, oct-nov 1983, cité par Simonne Brousse in *L'Équilibre de l'énergie humaine, clé de la santé*, pp. 198-201, Éd. le Rocher)

Tout le monde est d'accord au niveau des bruits de la vie quotidienne, entre la télé du locataire du dessus et la boum des ados du dessous... Moi-même, qui habite rue de Bourgogne, à Paris, il m'est arrivé certaines nuits de préparer un seau d'eau, avec l'intention de le déverser sur la tête du prochain fêtard qui me tirerait du sommeil (cela se passe à trois heures du matin, quand les touristes ne soupçonnent absolument pas que, derrière les façades, il y a des gens qui dorment...). Ces touristes, américains en particulier, croyant savoir que Paris est une ville totalement consacrée « au plaisir », ne peuvent imaginer qu'il y ait aussi des Parisiens qui travaillent. Mais rendons-leur justice : quand je leur explique gentiment, et dans leur propre langue, que le tapage nocturne est « against the law » après dix heures du soir, ils baissent d'un ton. Mon seau d'eau dévie alors vers les géraniums...

Mais il y a d'autres types de sons plus sournois et plus néfastes encore. Peu de gens réalisent que le moteur du frigidaire, par exemple, émet un « ronronnement » extrêmement destructeur pour ceux qui vivent dans son voisinage. Le Dr Maschi, à Nice, estime que la sclérose en plaques frappe en première ligne ceux qui sont exposés à ces vibrations. Et les géobiologistes, comme mon ami Louis Viel, accordent, dans l'expertise d'une maison, beaucoup d'attention à la présence et à la position de ces moteurs. Pour ceux-ci, les usagers commencent enfin à se réveiller (quand on leur explique ces questions avec statistiques à l'appui !).

LA MUSIQUE DES ENFERS

Pollution sonore, Monsieur Tout-le-Monde admet (puisque la télé en parle...). Mais s'il est bien un terrain où vous êtes sûr de susciter la polémique, c'est celui des musiques actuelles. Si vous critiquez, vous allez avoir tous les moutons contre vous. (Malheureusement, ils ne savent pas qu'ils sont des moutons noirs ; je veux dire, plus exactement, des pauvres moutons en voie d'intoxication par les forces noires).

L'autre jour, j'entre dans un magasin de vêtements de sport, jeune et branché. Mauvais rock mis à plein pot. Je demande à la vendeuse (seize ans à tout casser) : « Quel est le prix de ce blouson ? » Elle n'entend pas à cause du bruit, et me fait répéter. Je m'approche et lui dis : « Vous ne pourriez pas couper cette musique, pour que l'on puisse s'entendre ? » — « Quoi ? » hurle-t-elle. Je répète. La pépée monte sur ses ergots et me dit : « Vous n'aimez pas la musique ? » — Je lui réponds : « Si, mais pas n'importe quoi. » Elle me rétorque : « Cette musique me plaît à moi. Elle est à la mode. J'aime être à la mode. Tant pis pour ceux qui n'aiment pas ! » J'ai tourné les talons aussi sec, en marmonnant que le commerce ne marche que « si le client est roi » !

Dans les autres magasins de la même rue, à Paris, Chaussée-d'Antin, même musique hurlante, mêmes vendeuses totalement désinvoltes... (et même absence de clients !). On comprend pourquoi tant de boutiques font faillite. C'est que je suis vraiment une cliente impossible : je ne vois pas la nécessité de me mettre en transe pour acheter un t-shirt. Car les publicitaires comptent justement sur cet « effet-transe » pour créer la motivation d'achat : autant dire que le jeune « branché » achète n'importe quoi, sans prendre la peine d'étudier le rapport qualité-prix — tout chômeur qu'il soit ! Et le voilà encombré de trois jeans, qu'il ne mettra qu'une fois chacun (ayant découvert, en rentrant chez lui, qu'ils étaient trop courts et d'une couleur ringarde...). Pauvre consommateur débile, plus manipulé que jamais ! Comme le dit Cayce :

« TOUTE ACTIVITÉ HUMAINE PEUT ÊTRE ENCADRÉE PAR LA MUSIQUE (...), SI ON LE FAIT SANS PERDRE DE VUE LA FINALITÉ SPIRITUELLE DE L'ACTIVITÉ EN QUESTION, ET PAS DANS UN ESPRIT DE TROMPERIE! ».

(Lecture 949-13)

J'avais rappelé dans *L'Univers d'Edgar Cayce*[1], que le rock, venu de la musique africaine, avait pour objectif à l'origine, de marteler les centres glandulaires (ou chakras) pour les « ouvrir ». Les centres glandulaires « ouverts » amènent la personne à un niveau vibratoire différent; c'est ce qu'on appelle « la transe »[2]. Dans les liturgies africaines, celle-ci était indispensable au bon déroulement des cérémonies, à la fois religieuses et thérapeutiques, au cours desquelles les malades étaient guéris.

De cette musique africaine originelle, totalement branchée sur le spirituel, est issu — après une longue décadence — le jazz. Musique d'esclaves, il était aussi leur opium — l'indispensable drogue qui leur permettait de supporter leur condition. Avec le temps, le jazz a engendré une autre musique d'esclaves, le rock, qui martèle les chakras sans la moindre intention thérapeutique, ni spirituelle... Ce martelage, ces coups sonores répétés mettent l'auditeur en transe, état qui est en soi agréable et peut aller jusqu'à un plaisir de type orgastique. L'auditeur qui en

1. Tome II, p. 44, Éd. Robert Laffont.
2. Le mot désigne un état, ou des états de conscience variés, en degré et en qualité, encore mal connus des scientifiques (cf: *La Transe, technique d'épanouissement*, par le Dr Jacques Donnars, Éd. Sand). Cayce, dans son sommeil très spécial, qui n'était pas un « vrai » sommeil, ni — sauf au début — le résultat d'une hypnose, était-il dans un « état de transe »? Oui ... mais s'il sufisait de mettre une étiquette sur les phénomènes pour les comprendre, ce serait magnifique! (C'est ce qu'essaient de faire médecins et psychologues, mais la ruse ne prend plus!)

abuse risque alors d'être détruit par cette ouverture incontrôlée et sans but de ses centres glandulaires. Comme on ne lui a donné aucune « clé » pour comprendre les phénomènes qui se passent en lui, au niveau de ses glandes endocrines, il ne sait pas qu'il peut ainsi être parasité par des entités destructrices, qui s'empareront de lui et assouviront, à travers lui, leur soif de drogue, de sexe, d'alcool. Il peut devenir prisonnier de ces entités, qu'il a imprudemment accueillies en lui, en ouvrant ses centres glandulaires : elles le pousseront à la drogue, au crime, au suicide, etc. Bien entendu, aucune cure de désintoxication n'y fera rien, puisque notre médecine matérialiste n'admet pas l'existence des êtres invisibles.

Le danger est tellement réel que Cayce parle d'une « descente aux enfers » :

« OR, COMME À PRÉSENT, DONC, LA MUSIQUE SUSCITE CHEZ L'ENTITÉ DES ÉMOTIONS D'UNE RARE VIOLENCE. IL FAUDRA FAIRE ATTENTION DE CHOISIR LA MUSIQUE SUR LAQUELLE VOUS BRANCHER : VOYEZ QUELLES SONT LES ÉMOTIONS SUSCITÉES PAR TEL OU TEL TYPE DE MUSIQUE. CAR TELLE VOIE, QUI PEUT SEMBLER BONNE À CERTAINS, PEUT FINALEMENT CONDUIRE À L'ENFER. »

(Lecture 1406-1)

Je ne donnerai pas ici de noms de groupes ou de chanteurs, dont la musique pourrait « CONDUIRE À L'ENFER ». Comme dit Cayce, chacun doit juger pour soi. Se poser la question, c'est déjà y répondre. Car la plongée en soi-même, pour écouter l'effet des vibrations sonores au tréfonds de son être, permettra de faire le tri. Telle musique « QUI PEUT SEMBLER BONNE À CERTAINS » cache en réalité un abîme de danger. Les jeunes ne s'en rendent pas toujours compte.

Comme le disait le bon Max-Getting, en 1929, à sa femme :

147

« La musique actuelle n'est plus mélodieuse comme celle d'autrefois ; du moins, elle ne le paraît plus aux hommes d'âge mûr, car les vibrations de cette musique ne s'accordent plus avec celles des vieilles générations, qui dès leur plus jeune âge, furent accoutumées à capter d'autres ondes sonores. Nos ondes n'ont pas subi de transformations, comme celles des jeunes générations qui s'adaptent sans difficultés à la vie actuelle ; et ce que nous trouvons laid ou inharmonieux leur semble probablement splendide. »

C'est un fait !

« Car leur ondes (de ces jeunes générations) *ont un rythme qui est absolument à la mesure des vibrations qu'elles perçoivent. »* (Op. cit. p. 222)

Autrement dit : « Dis-moi ce que tu écoutes, je te dirai qui tu es » !
Il y a des musiques, bonnes au départ, qui se sont dégradées peu à peu.

« ET BIEN DES INCANTATIONS, QUE L'ON TROUVE CHEZ CERTAINS PEUPLES PRIMITIFS, BIEN DES MUSIQUES MILITAIRES SUPERBES, BIEN DES VALSES SPLENDIDES — AVEC LEURS RYTHMES SI ENTRAÎNANTS — BREF, UNE GRANDE PARTIE DE LA MUSIQUE D'AUJOUR'HUI, EST ISSUE DES TRAVAUX (anciens) DE CETTE ENTITÉ. CEPENDANT BEAUCOUP, NATURELLEMENT, ONT ÉTÉ DÉFIGURÉS ; BEAUCOUP ONT ÉTÉ PERVERTIS ET CHARGÉS D'ÉLÉMENTS DIVERS, QUI N'ENTRAIENT PAS DANS LA COMPOSITION ORIGINALE. »

(Lecture 942-12)

La réincarnation massive des Atlantes, qui nous vaut d'être envahis par des musiques discordantes, et cette violence sociale, explique cette dégradation.
Je ne prétends pas que toutes les musiques pop, folk, raï, punk, rock, blue, hard, disco, funk ou psychédélique, etc. soient systématiquement

toutes nuisibles. Il y a un mélange du pire et du meilleur. Tout dépend du chanteur. Aucune étiquette de «genre» n'est absolument déterminante. Autre phénomène: les paroles chantées dans une langue étrangère, et dont les jeunes ignorent le sens. Ces paroles peuvent véhiculer des idées, des pensées, qui, habituellement répétées sous forme incantatoire, sont extrêmement destructices. Et notre cher «ado» boit ça comme du petit-lait, retour du lycée, sans se douter de rien... J'avais mentionné l'étude du P. Regimbal[1] sur certains musiciens, qui choisissent des textes qui se veulent d'inspiration «satanique» (ce qui paraît si incroyablement infantile qu'on aurait peine à y croire, si l'évidence n'était là).

Il y a divers degrés de nuisance, d'incitation au sexe, à la drogue, au suicide, à l'homicide, etc. Incitation d'autant plus forte aujourd'hui qu'existent les «messages subliminaux», dont font usage certains groupes tant musiciens que politiques.

Du temps du cher Edgar, tout ça n'existait pas encore. «Vous avez dit subliminal?» Notre prophète de la «Beach» emploie des mots bien convenables, bien sages, pour décrire ces phénomènes qui apparaîtront après lui:

« EN CE QUI CONCERNE LE VÉCU DE CES ÉMOTIONS, CHOISISSEZ CE QUI EST CONSTRUCTIF POUR VOTRE EXPÉRIENCE DE VIE ACTUELLE; SACHEZ QUE CELA DOIT APPORTER LA PAIX À VOTRE ÂME, ET NON PAS GRATIFIER LE CORPS SEUL, C'EST-À-DIRE UNE ÉMOTION CHARNELLE SEULEMENT. »

(Lecture 1406-1)

---

1. *L'Univers d'Edgar Cayce*, Tome II, p. 45: il s'agit du livre *Le Rock'n roll, viol de la conscience par les messages subliminaux*, Éd. Croisade (Daniel Chatelain, Case 5, Grange-Canal, 1211 Genève, Suisse).

De son temps, musique ne rimait pas encore avec «violence hystérique». Il se contente d'évoquer «DE VIOLENTES PASSIONS», que ses auditeurs ne visualisaient pas du tout:

> «RAPPELEZ-VOUS (...) QUE LA MUSIQUE EST, PAR ESSENCE, L'ÉLÉMENT QUI PEUT FRANCHIR LA DISTANCE ENTRE LE SUBLIME ET LE RIDICULE. ELLE PEUT ÉVEILLER DE VIOLENTES PASSIONS, MAIS AUSSI CALMER LA BESTIALITÉ DES PASSIONS.»

> (Lecture 5253-1)

La musique peut relier celui qui l'écoute aux «ROYAUMES DIVINS» comme aux royaumes infernaux... Des entités négatives, venues d'autres sphères du Cosmos, sont véhiculées par certaines musiques. On commence à deviner que, dans l'Espace, il existe aussi des sphères négatives. Cayce se contente d'y faire allusion, de façon très voilée, pour ne pas créer à l'avance cette fascination de la destruction, à laquelle succomberont les générations suivantes:

> «COMME NOUS L'AVONS DÉJÀ INDIQUÉ, LA MUSIQUE ÉVEILLE CHEZ L'ENTITÉ L'ÉNERGIE CRÉATRICE LATENTE, AU TRÉFONDS D'ELLE-MÊME. CAR SEULE LA MUSIQUE PEUT RELIER CETTE SPHÈRE-CI[1] (...) ET SES ACTIVITÉS, AUX ROYAUMES DIVINS. LA MUSIQUE EST UNE ÉNERGIE, SOIT DESTRUCTRICE, SOIT CRÉATRICE. CELA DÉPEND DES PASSIONS QU'ELLE ÉVEILLE.»

> (Lecture 3509-1)

La légende grecque d'Orphée illustre bien, d'ailleurs, l'opposition entre les deux musiques, créatrice et destructrice. Orphée, demi-dieu musicien, fut à l'origine des écoles de mystères en Grèce, écoles où la musique jouait un rôle important dans l'ascèse spirituelle. Connu comme «fils d'Apollon», personnification du

---

1. La Terre.

Soleil et de la Musique, il était allé *« en Égypte, où il avait demandé asile aux prêtres de Memphis. Ayant traversé leurs Mystères, il était revenu au bout de vingt ans sous un nom d'initiation, qu'il avait conquis par ses épreuves. Ce nom "Orphée" signifiait : "Celui qui guérit par la lumière".»* (Éd. Schuré, *Les Grands Initiés*, page 231). Sa mission était de réveiller la vie spirituelle en Grèce. Il se heurta aux Bacchantes, qui utilisaient, elles, la musique pour stimuler les sens au cours de sanglantes orgies. Jalouses d'Orphée, elles empoisonnèrent sa jeune femme Eurydice, qu'il adorait, et finirent par l'empoisonner lui-même. Orphée était fils d'une muse et jouait de la lyre. Il en jouait si divinement, dit la légende, que les animaux des forêts venaient l'écouter, sagement assis en cercle autour de lui ! (J'adore la mythologie grecque : on n'a jamais rien fait de plus percutant, de plus pénétrant, dans la description de l'âme humaine !)

Aujourd'hui encore, nous revoilà entre le divin Orphée et les criminelles Bacchantes... Et nous sommes comme les Grecs antiques, nous devons choisir ! Du temps de Cayce, ces ondes noires « bacchiques » commençaient à passer dans certaines musiques populaires américaines :

« (Que l'entité) S'INTÉRESSE À L'ART ET À LA MUSIQUE. PAS SEULEMENT À LA MUSIQUE CLASSIQUE, MAIS AUSSI À LA MUSIQUE POPULAIRE, COMME LE "RAGTIME". ET LÀ, ATTENTION ! CAR L'ART ET LA MUSIQUE POPULAIRES PEUVENT ÊTRE SOUVENT UNE SOURCE DE TENTATION POUR L'ENTITÉ. »

(Lecture 3188-1)

LE JAZZ

Dans la lecture suivante, Cayce évoque le jazz. Il s'agit de conseils d'orientation professionnelle, donnés à un jeune musicien :

« S'il vous plaît, monsieur Cayce, expliquez ce qu'est la musique du Temple [1]. Comment devrai-je faire pour la développer? l'utiliser dans quel cadre, analogue au Temple?

> « ET BIEN, D'UNE MANIÈRE QUI AMÉNERAIT L'ENTITÉ À ÊTRE BEAUCOUP PLUS DEMANDÉE PAR LE PUBLIC. COMME ON L'A CONSTATÉ, NOUS VOICI DANS UNE PÉRIODE OU LE PUBLIC CHERCHE L'EXPRESSION DES ÉMOTIONS PAR LA MUSIQUE. DE LÀ, "L'ÂGE DU JAZZ", COMME ON L'APPELLE. »

(Lecture 2897-2)

Ailleurs, Cayce disait :

> « LE JAZZ, C'EST DE LA MUSIQUE, CERTES. MAIS Y TROUVE-T-ON LA PARFAITE HARMONIE? »

(Lecture 2072-10)

Cyril Scott, dans son ouvrage *L'Initié*, n'est pas très positif sur le jazz :

> *« Avec la vulgarisation du jazz, qui, de toute évidence fut introduit par les forces noires, on assiste à un effritement rapide des mœurs dans le domaine de la morale sexuelle. »* (Op. cit. p. 167)

Compositeur lui-même, élève du Maître Koot Houmi, Cyril Scott défend la thèse que l'influence de la musique est déterminante sur le comportement social :

1. Le Temple de l'Égypte ancienne ; voir *L'Univers d'Edgar Cayce*, Tome I, chapitre sur l'Égypte.

*« C'est au jazz, écrit-il, que l'on doit la place exagé-
rée donnée au sexe (...). Le caractère orgiaque qui se
dégage du rythme syncopé a délibérément rejeté de la
musique tout contenu spirituel ou exaltant, pour provoquer une surexcitation du système nerveux et affaiblir les
forces de concentration de la pensée. »* (Op. cit. p. 167)

*« Une conséquence directe de l'influence de cette musi-
que est visible dans le goût qui s'est développé pour le
sensationnel. Du fait que le jazz lui-même est strictement construit sur les sensations du corps physique, le
public est devenu de plus en plus exigeant pour la satisfaction de ses émotions — particulièrement dans le film
et le roman policier, où l'action dramatique est nouée
uniquement autour du crime, du mystère et de la bruta-
lité. »* (ibid. p. 168)

Et encore, le jazz de papa était-il tout doux,
tout bon en comparaison de ce que l'on entend
aujourd'hui... Comme je le disais ci-dessus, le
jazz vient de la musique africaine. Afrique qui
est, en astrologie, sous le signe des Poissons,
signe de l'occulte, signe des envoûtements, signe
de l'esclavage... De la musique africaine, l'Occident n'a gardé que les maléfices. Cependant, je
ne voudrais pas que mon lecteur croie que tous
les types de jazz soient malfaisants, ce serait
excessif. Disons plutôt qu'il y a du bon et du
mauvais... D'ailleurs Cayce, dans la suite de la lecture, dit au jeune compositeur qu'aucun genre
musical ne lui est interdit:

« CE N'EST PAS QU'IL DOIVE S'ABSTENIR DE COMPOSER DU
JAZZ, OU DE LA MUSIQUE LÉGÈRE, OU DES CHOSES FACILES;
MAIS, LORSQU'IL LE FERA, CES COMPOSITIONS DEVRONT TOU-
JOURS ÊTRE TEMPÉRÉS PAR LE (OU LES) INSTRUMENT(S) DONT IL
SAIT JOUER, AFIN D'EXPRIMER SON MOI PROFOND DE MUSI-
CIEN. »

(Même Lecture)

Autrement dit, qu'il impose toujours un style très personnel. Car il aurait tort de sacrifier entièrement à la mode, au goût du jour :

« L'ENTITÉ, DE PAR SON EXPÉRIENCE INNÉE, RÉALISE COMBIEN CE MÊME PUBLIC RECHERCHE QUELQUE CHOSE DE BEAUCOUP PLUS PROFOND, QUELQUE CHOSE QUI LUI APPORTERAIT PLUS DE SATISFACTION, PLUS DE BONHEUR À L'USAGE. L'ENTITÉ TROUVERA, EN APPARENCE, DES INCONVÉNIENTS À CE CHANGEMENT D'ORIENTATION. MAIS, DANS SA RECHERCHE SINCÈRE DE DONNER AU PUBLIC, AUX GENS, CE QUI LES SATISFAIT VRAIMENT ET LES ÉLÈVE — C'EST-À-DIRE UNE AIDE NON SEULEMENT PHYSIQUE ET MENTALE, MAIS AUSSI SPIRITUELLE — (...), IL SERA RÉCOMPENSÉ DE SES EFFORTS SINCÈRES PAR LE PUBLIC, QUI LE LUI RENDRA. »

(Même Lecture)

A l'époque de Cayce, il y avait donc des possibilités de réussite pour un artiste honnête et spirituel. On a quelquefois l'impression que ces possibilités se réduisent aujourd'hui, où la progression des forces noires de l'ancienne Atlantide favorise la réussite des imposteurs !

Heureusement, ceux-ci ne réussissent jamais très longtemps. Comme dit Cayce :

« MAIS, QUAND L'ENTITÉ SE PRÉSENTERA DANS UNE ATTITUDE DE GLORIFICATION DE SOI, MOTIVÉE PAR L'ÉGOÏSME, L'INTÉRÊT, LE GOÛT DU POUVOIR, L'AMBITION SOCIALE, ETC., ALORS LA SÉCURITÉ DE SA POSITION RISQUE D'ÊTRE COMPROMISE, ET LE DÉCLIN SERA DÉJÀ COMMENCÉ. »

(Même Lecture)

Si l'entité, c'est-à-dire le compositeur, se met à la remorque des forces noires, il est perdu. Si, au contraire, travaillant à contre-courant, il a le courage de s'orienter vers une musique spirituelle :

154

« CETTE FORME D'EXPRESSION MUSICALE, CHOISIE PAR L'ENTITÉ, ATTIRERA LES GENS DES MILIEUX RELIGIEUX ; ET L'ENTITÉ, AVEC SES ASSOCIÉS, SERA APPELÉE DANS LES TEMPLES DE LA MUSIQUE, DANS LES TEMPLES AU SERVICE DU CORPS SPIRITUEL DE L'HOMME, DANS LES TEMPLES OÙ L'INTELLIGENCE EST LE CRITÈRE DU SUCCÈS... CELA N'ARRIVERA PAS TOUT D'UN COUP, MAIS L'ENTITÉ DEVRA TOUJOURS ÉQUILIBRER SON SUCCÈS PAR LA FIDÉLITÉ À SON IDÉAL, QUI LE REND CAPABLE DE TRANSMETTRE CETTE FORCE INNÉE, RÉELLE, CETTE PUISSANCE INTÉRIEURE QU'IL PORTE EN LUI, AUX AUDITEURS DE TOUS LES MILIEUX. QU'IL SE SOUVIENNE AUSSI QUE CELUI QUI SAUVE UNE SEULE ÂME DE LA DESTRUCTION RACHÈTE PAR LÀ UNE MULTITUDE DE PÉCHÉS. »

(Lecture 2897-2)

Grande est la responsabilité des compositeurs : ils ont donc le pouvoir, par leur musique, de « SAUVER LES ÂMES DE LA DESTRUCTION », mais aussi de les y pousser, hélas !

Si le jazz a existé, c'est qu'il répondait à une nécessité.

« Que dire à propos du rythme syncopé et du jazz ? » demande Marie-Louise Aucher. *« Qu'il est prénatal, semble-t-il. C'est un besoin de retour à une vie instinctive, subie et inconsciente, qui touche, sollicite et amplifie l'entrelacs des pulsations intérieures de l'être humain, orchestré par les rythmes maternels de base — dont la pulsation vitale a influencé les premières sensations fœtales —: le cœur de la mère et le cœur de l'enfant chevauchent leurs mesures.*

Le jazz et les musiques syncopées peuvent donc être tonifiants au stade instinctif vital — mais ils ne seront jamais éducateurs ni rééducateurs (sauf en un court passage de transition), car ils maintiennent l'Homme à l'état de soumission non sélective et non volontaire. »

(Marie-Louise Aucher, op. cit., p. 60)

Ce sont bien les caractéristiques des vibrations du signe des Poissons: «l'état de soumission», c'est-à-dire l'esclavage.

Cependant, si le jazz peut être utile en tant que *«pulsation libératrice, extériorisation de délivrance»*, il ne peut servir *«à une construction civilisatrice»*. (Ibid.) C'est aussi ce que dit Cyril Scott: *«Pourquoi les hiérarchies religieuses permirent-elles la diffusion du jazz?»* C'est parce que *«la musique du jazz devait libérer l'individu de certaines limitations»*.

(Op. cit. p. 170).

Tout comme le Mal entre comme «repoussoir» ou comme «faire-valoir» dans le programme général de la Création, les musiques discordantes sont une étape du progrès de l'Humanité. Les ésotéristes parlent de formes-pensées inférieures, négatives, qui empoisonnent invisiblement le mental collectif de groupes humains, de certaines civilisations, engendrant guerres et violences. Or, dit Cyril Scott:

«Le type spécifique de musique nécessaire à la destruction de ces formes-pensées obsédantes ne commença à se faire entendre que vers 1906, avec la musique de type hyper-dissonant; car (...) la dissonance mentale ne peut être combattue que par la dissonance musicale.»

(Op. cit, p. 160)

Et Scott d'attribuer ce rôle à la musique de Stravinski, de Schönberg, de Moussorgski...

LA MUSIQUE ET LES PLANTES

Pour terminer, il faudrait aussi mentionner que la musique destructrice détruit également les plantes, comme l'ont prouvé les expériences scientifiques menées ces dernières années, en Europe, en Amérique et en Inde. Sir Chandragh Bose, éminent biologiste indien, avait constaté que les céréales, par exemple, se développent beaucoup plus vite, et mieux, si on leur offre de la musique indienne traditionnelle. Mais si on leur inflige du rock occidental, elles poussent moins bien! D'autres expériences ont été faites en plaçant diverses espèces sous les vibrations d'un haut-parleur. Selon le type de musique, elles prospèrent ou dépérissent, parfois en quelques heures. J'ai moi-même fait l'expérience de poser un magnétophone près d'un gardénia capricieux: et j'ai constaté qu'à petites doses quotidiennes de musique liturgique grecque, il a doublé en quelques mois (après deux années de stagnation)! On a fait des constatations tout à fait semblables avec les animaux. (Cf. *La Vie secrète des plantes*, de Peter Tomkins et Christopher Bird, Éd. Robert Laffont). Gina Germinara, grande amie de Cayce, parle du *«fermier qui fait de la musique dans l'étable pour stimuler les vaches, et qui sera probablement récompensé par une meilleure production laitière»* *(De Nombreuses Vies, de nombreuses amours,* Éd. Adyar, p. 189). Je ne sais pas dans quel pays elle a vu ça. Dans le nôtre, hélas, on en est bien loin[1]! Pourtant, comme on va le voir au chapitre suivant, nous avions une tradition là-dessus...

---

1. En Europe, les paysans n'aiment plus leurs animaux. Témoin les quelques courageuses associations qui luttent pour rééduquer le public à un plus grand respect de leur bétail (O.A.B.A., Œuvre d'Assistance aux Bêtes d'Abattoir, Maison des Vétérinaires, 10, place Léon Blum, 75011 PARIS).

VI
TRAVAILLER EN MUSIQUE

LA VACHE EST INTELLIGENTE

Il y a quelques mois, j'admirais une énorme «cloche à vaches» chez un vieux monsieur de l'Oberland bernois. «Comment peuvent-elles traîner ça, les pauvres bêtes?» lui dis-je.

— Ah, ne croyez pas, me répondit-il. Les vaches sont habituées à la sonorité de leurs cloches: elles aiment bien. La meilleure preuve, c'est qu'ici elles mettent huit heures pour monter à l'alpage au printemps. Et dix heures si elles n'ont pas leurs cloches...

«La vache est intelligente», disait mon ami l'écrivain suisse Louis Gaulis, trop tôt disparu. J'y pense chaque fois que je vois les vaches descendre de l'alpage (ou y remonter), avec des guirlandes de fleurs entre les cornes; elles traversent la grand-rue au rythme cristallin de leurs cloches, dont chacune rend un son différent. Les voitures s'arrêtent pour les laisser passer, les touristes yankees et japonais photographient... et mon chien leur court après. Ce n'est pas pour rien que la tradition attribue la musique au signe du Taureau... Si depuis toujours les gens des Alpes accrochent des cloches au cou de leurs vaches (même sans rien connaître à l'astrologie !), c'est qu'ils ont conscience de la sensibilité musicale de leurs bêtes. Non seulement les cloches permettent de savoir où sont les bêtes sur l'alpe, mais encore, semble-t-il, leur carillon contribue-t-il à les garder en forme...

LE CHANT DES MÉTIERS

Les métiers, jadis, s'exerçaient toujours en musique, et en chantant. C'était le grand principe des artisans d'autrefois. Je me rappelle d'un atelier de ferronnerie de l'Ile Saint-Louis à Paris, où tous les ouvriers sifflaient en chœur pendant qu'ils travaillaient : vous rentriez là-dedans avec l'impression d'être environné d'oiseaux chanteurs, comme dans une forêt tropicale... C'était bien plus gai de travailler comme ça ! Le travail était mieux fait, et surtout beaucoup plus léger à supporter physiquement. Depuis, on a bien essayé d'appliquer ce principe dans les grandes entreprises industrielles... Malheureusement, on a souvent fait appel à des musiques qui n'étaient pas en accord avec le rythme du travail. (Du coup, les travailleurs sortent de leur travail absolument harassés !) Pourtant, au départ, le principe était bon, comme l'affirme Cayce :

« VOYEZ L'ACTIVITÉ DE N'IMPORTE QUEL GROUPE HUMAIN, DE N'IMPORTE QUELLE EXPÉRIENCE OU ENTREPRISE HUMAINE — QU'IL S'AGISSE D'ACTIVITÉS MANUELLES, COMME CELLE DU PAYSAN, DE LA FEMME DE MÉNAGE, OU AUTRE, COMME CELLE DU CADRE SUPÉRIEUR, TOUTES PEUVENT ÊTRE AIDÉES PAR LA MUSIQUE. »

(Lecture 949-13)

162

Et l'activité de l'écrivain, donc! S'il faut passer aux aveux, j'avouerai donc: j'ai écrit ce livre en écoutant Mozart, J.-S. Bach, Mendelssohn, les chants religieux de la liturgie orthodoxe, Jean-Michel Jarre (à Houston et en Chine) et Serge Lama (sur les paroles historiques de Napoléon)! Ce qui m'a fait travailler bien plus agréablement, et bien plus vite. Le travail en musique, dit le cher Edgar, peut être organisé:

« DE FAÇON À ENCOURAGER LES TRAVAILLEURS, LEUR APPORTER L'ESPOIR, LA FOI DANS L'AMÉLIORATION DE LEURS CONDITIONS DE TRAVAIL, DANS LES ACTIVITÉS QUI SONT LA TRAME DE LEUR VIE QUOTIDIENNE ».

(Même Lecture)

Dans mon enfance, j'entendais le revendeur de fourrures passer dans la rue en chantant: *« Peaux, peaux, peaux d'lapin! »*. Le marchand de légumes chantait ce refrain:

« J'ai des carottes, des poireaux,
Des choux, des radis,
Mais c'que j'ai d'plus beau,
C'est mes haricots! »

refrain que la cuisinière de ma grand' mère, la pauvre Marcelle Deux, reprenait en écho devant ses fourneaux. Elle chantait bien souvent et je crois que c'est cela qui lui permettait de tout supporter: ses longues heures de travail, sa solitude morale, sa petite chambre inconfortable, son déracinement, ses rhumatismes...
Xavier de Laval, dans son excellent livre sur Madame Tallien,[1] cite un passage des *Mémoires* de Madame de Genlis:

_____

1. Xavier de Laval, *Le Songe de Thermidor*, Éd. Jean-Cyrille Godefroy, p. 30.

«*Avant la Révolution, je savais*, dit-elle, *reconnaître les cris des marchands dans les rues de Paris. On aurait pu les noter sur du papier à musique, car c'étaient tous des espèces de chants. Souvenez-vous! A l'époque, ces chants étaient extrêmement gais, et, par une conséquence naturelle, ils étaient tous en mode majeur. Rentrée en France après bien des années, je reconnus avec surprise que des cris, qui n'avaient pas changé depuis mon enfance, n'étaient plus du tout les mêmes. Ils étaient devenus monocordes et à peine intelligibles, tristes, lugubres même, et de ce fait, toujours en mode mineur. (...) Ce changement a dû s'opérer durant les années effroyables du règne de la Terreur. Que l'on se figure, s'il est possible qu'une marchande de pains d'épices, à côté d'une charrette remplie d'infortunés, ait pu crier gaiement: "Vlà le plaisir, Mesdames!" et que tous les autres marchands, au milieu de ces horribles spectacles, aient pu conserver leur accent joyeux.*»

Il y eut à Paris, à la fin du XVIIIe siècle, une joie de vivre, que nous n'avons jamais vraiment retrouvée: «les cris de Paris» et les chants des petits métiers dans les rues, que j'ai pu encore entendre dans mon enfance, étaient tous, en effet, sur le mode mineur, comme une mélopée triste. Ils savaient qu'ils étaient moribonds: le bruit des voitures, des klaxons, l'invasion des sonos électroniques les a tués...

Ce serait plutôt l'absence de musique dans le travail qui serait anormale. Son rythme s'exprime naturellement par le chant, ou par le rythme d'une musique instrumentale:

« L'EXPÉRIENCE MONTRE QUE TOUTE ACTIVITÉ DOIT INTÉGRER LA NOTION DE TEMPS; C'EST LÀ L'ESSENCE DE L'HARMONIE DU RYTHME MUSICAL (...). VOYEZ LE RYTHME DANS TOUTES LES ACTIVITÉS, QUELLES QU'ELLES SOIENT — QU'IL S'AGISSE DE LA FEMME DE MÉNAGE OU DE L'ARTISTE QUI S'EXPRIME. VOYEZ LE DÉCOUPAGE DANS LE TEMPS QUI EST NÉCESSAIRE POUR QUE

CES ACTIVITÉS SOIENT VALABLES, ET RÉPONDENT AUX FINS SPIRITUELLES QU'ELLES PORTENT EN ELLES!»

(Lecture 949-13)

Il y aurait certainement beaucoup moins d'accidents du travail, et de maladies professionnelles, si les travailleurs pouvaient être assistés par la musique qui convient à leur travail. Dans les métiers dits «manuels», où le corps physique doit être maintenu en bonne forme, la musique devrait absolument faire partie des conditions de travail et soutenir le rythme de l'effort musculaire:

«DONNEZ DONC À L'ENTITÉ UNE ÉDUCATION QUI NE SOIT PAS TROP FORMALISTE. MAIS INSISTEZ SUR L'ÉDUCATION MUSICALE: ELLE AMÉLIORERA LES VIBRATIONS QUI MAINTIENNENT LE BON FONCTIONNEMENT DES STRUCTURES ANATOMIQUES DU CORPS — C'EST-À-DIRE LA SANTÉ!.»

(Lecture 5263-1)

C'est ce qui se faisait autrefois, du temps de la marine de bois: toutes les manœuvres à bord des grands voiliers étaient exécutées en chantant. Sans aucun doute, cela facilitait le travail des hommes.

«Hardi matelot
«Vire au guindeau!
«Good bye — farewell,
«Good bye — farewell...»

Ou bien

«L'était la Danaé,
«A prendre un ris dans les basses voiles,
«L'était la Danaé,
«A prendre un ris dans les huniers...»

LES PYRAMIDES FURENT
CONSTRUITES EN MUSIQUE

C'est l'une des plus fantastiques assertions de Cayce: que la musique agit concrètement sur la matière, et, qu'en Égypte ancienne, elle fut un outil de construction. Dans la grande civilisation de l'Égypte prédynastique, il y a douze mille ans, et qui fut — d'après Cayce — « LA PLUS GRANDE CIVILI- SATION QUE LA TERRE AIT JAMAIS CONNUE», on aurait uti- lisé le son et la musique pour faire léviter les objets lourds.

Les experts se demandent encore par quelles techniques extrêmement sophistiquées on a pu monter les pierres qui constituent les pyra- mides. Ces énormes blocs sont disposés avec une rigueur impeccable, un alignement sans faille, une précision telle qu'on ne pourrait absolu- ment pas la réaliser aujourd'hui. J'avais déjà, dans le Tome I[1], traduit quelques lectures sur la Grande Pyramide, où Cayce affirmait que les pierres avait été «lévitées» par certaines techni- ques ultra-sophistiquées de l'Égypte d'alors:

«(Monsieur Cayce), quelle était la source d'énergie qui fut employée pour construire ces pyramides et temples archaïques?»

« LES FORCES ASCENSIONNELLES DE CES GAZ, QUI SONT DE PLUS EN PLUS EMPLOYÉS AUJOURD'HUI, DANS NOTRE CIVILISA- TION ACTUELLE; ET LE MAGNIFIQUE TRAVAIL, LES ACTIVITÉS DE CEUX QUI ÉTAIENT INITIÉS À LA CONNAISSANCE DE LA SOURCE, D'OÙ PROVIENT TOUTE ÉNERGIE.»

(Lecture 5750-1)

---

1. *L'Univers d'Edgar Cayce*, Éd. R. Laffont.

Les commentateurs de Cayce à Virginia Beach estiment, par recoupements avec les autres lectures, que la dernière phrase ci-dessus est une référence aux chants (Juliet Brooke Ballard, *The hidden laws of earth*, A.R.E. Press, Virginia Beach).

« Ai-je gardé (de mon incarnation ancienne en Égypte) *des attirances vers la musique et l'art ? »*

« JUSTE COMME NOUS L'AVONS EXPLIQUÉ : LORS DE LA CONSTRUCTION DES PYRAMIDES ET DE LA SALLE DES ARCHIVES — AINSI QUE CELLE DE LA CHAMBRE OÙ LES DOCUMENTS SONT TRANSCRITS DANS LA PIERRE —, TOUS CES DOCUMENTS ONT ÉTÉ ASSEMBLÉS PAR LE CHANT. »

(Lecture 2462-2)

Il s'agit des chambres intérieures de la Grande Pyramide, où les principales dates de l'Histoire du Monde seraient indiquées par la disposition, la taille, la couleur des pierres[1].

Quand on connaît un peu les lectures et la pensée de Cayce, on comprend ce qu'il a voulu dire : non seulement les ouvriers chantaient pour alléger leur effort physique, mais encore la musique des chants avait une action sur les pierres elles-mêmes. Cayce a raconté ailleurs comment les Atlantes étaient passés maîtres dans l'utilisation des vibrations lumineuses et sonores. Et comment les réfugiés atlantes, après l'écroulement de l'Atlantide, apportèrent leur fantastique technologie aux entrepreneurs égyptiens. Autrement dit, au xxe siècle, nous ne savons pas grand-chose ! Bien des secrets ont été perdus... C'était l'opinion des Grecs, qui enseignaient qu'après la génération des dieux, était venue celle des demi-dieux, puis celle — nettement plus tristounette — des hommes seulement, où tout s'était étriqué à leur petite dimension...

1. *L'Univers d'Edgar Cayce*, Tome I, p. 218.

Il semble que l'énergie des sons ait été utilisée soit sous forme de chants, soit sous forme de musique instrumentale... Mais comment? Cayce n'a pas donné beaucoup d'explications là-dessus. Mais on doit redécouvrir, un jour, ces techniques, avec tous les secrets enfouis sous le plateau de Gizeh:

> « DANS CETTE INCARNATION (en Égypte), L'ENTITÉ VIT CE QUE L'ON CONSTRUISAIT ALORS COMME UN MÉMORIAL: LA PYRAMIDE — QU'ELLE VIT S'ÉLEVER DE SON VIVANT; C'ÉTAIT AU TEMPS OÙ FUT COMMENCÉE LA PYRAMIDE DU SAVOIR C'EST-À-DIRE CELLE DE GIZEH — ET SEUL ÉTAIT CONSTRUIT LE COULOIR JUSQU'À LA CHAMBRE DU ROI. MAIS L'ENTITÉ VERRA DANS SON INCANTATION À PRÉSENT "L'ÉPOQUE DU TOMBEAU VIDE"; CE PASSÉ EXPLIQUE LE HAUT NIVEAU DE SON ACTIVITÉ ACTUELLE.
> LES HARPES DE L'ENTITÉ — ET SES PROGRAMMES DE CONCERTS, COMME L'ON DIRAIT AUJOURD'HUI — SONT PARMI LES OBJETS QUI ONT ÉTÉ PRÉSERVÉS DANS LA PYRAMIDE, INCONNUS JUSQU'À MAINTENANT, DANS LA SALLE DES ARCHIVES. »

> (Lecture 275-33)

Dans cette lecture, Cayce précise donc que, dans la Grande Pyramide de Gizeh, la « chambre du Roi » (qui contient le tombeau vide) donne la description des événements de notre époque. Comme c'était, dit-il aussi, la Chambre des Initiations — donc le lieu de l'épreuve suprême du candidat à l'Initiation —, cela présage bien des épreuves pour notre époque. Une sorte de mort, puis de résurrection, comme le suggère le symbolisme du tombeau (d'où l'Initié se relève après trois jours).

Plus tard, ce difficile moment passé — dans dix ans? —, on retrouvera la connaissance et la sagesse de l'Égypte antique. On comprendra tout — et en particulier, comment la musique put faire s'envoler les grosses pierres!

Les druides avaient certainement eu cette

connaissance, puisqu'ils étaient, eux aussi, les héritiers de l'Atlantide. Dans le monde celtique, l'on a fait longtemps usage de formules magiques, qui faisaient apparaître ou disparaître objets et êtres vivants, ouvrir ou fermer les portes... «Sésame, ouvre-toi», c'est tout ce qui nous reste d'une histoire qui a dû être vraie. On en retrouve un écho dans les récits populaires, comme par exemple les *Contes* de Perrault, dont les héros font tous usage de formules qui transforment en carrosse une citrouille, ou une jeune fille en âne... La Bretagne (la plus fidèle de toutes nos provinces aux traditions celtiques, à cause de ses contacts avec l'Irlande, les Galles et la Cornouaille) a gardé des traces de cet antique savoir, qui permettait, grâce au son, de déplacer les objets matériels et d'intervenir sur les éléments de la météo, comme le vent ou la pluie. Il faut lire ce que raconte Jean Merrien (*Histoire et Légendes de la Mer*, chez Robert Laffont) sur l'antique tradition de «siffler le vent». Autrement dit, les marins étaient sûrs de pouvoir se faire lever le vent, en émettant certains sons, d'une certaine façon... On aurait tort d'en rire un peu vite, et Merrien affirme que la tradition existe toujours chez les marins bretons. Il jure qu'il a essayé... et que ça marche! Étant moi-même présidente, c'est-à-dire capitaine, d'une association intitulée *le Navire Argo*, j'aimerais beaucoup apprendre à siffler le vent (celui de l'Histoire, évidemment...).

Il est certain que l'initié, qui s'est entièrement branché sur les harmonies de la Nature, en connaît et comprend les rythmes, qu'il peut traduire en son et en musique. Et par là, il peut non seulement se guérir, guérir les autres, mais encore agir sur le règne animal, le règne végétal et, pourquoi pas? le règne minéral, dont la matière semble inanimée (ce qui est une illusion, comme l'a démontré la science actuelle).

VII

LES VERTUS CURATIVES
DE CHAQUE INSTRUMENT

POUR CHAQUE TYPE DE MALADIE, UN INSTRUMENT SPÉCIFIQUE...

Il y a instrument et instrument... Pour un musicien, c'est évident — encore qu'il ne sache pas toujours exactement, au fond, pourquoi il préfère le violoncelle au piano! Mais dans les conservatoires, on n'enseigne pas encore que le violon est bon pour les dépressifs, ou le cor pour les cardiaques... Nous sommes très ignorants dans ce domaine.

Cayce dit et répète qu'il nous transmet la Science, la Sagesse de l'Égypte ancienne. Or il semble, d'après lui[1], que les connaissances en matière de musique aient été beaucoup plus

1. Cayce estime que notre civilisation actuelle n'est qu'une dégradation des brillantes civilisations antiques. Et quand je dis «antiques», je devrais plutôt dire «antiquissimes», ou bien «pré-préhistoriques»! Puisque les civilisations anciennes auxquelles se réfère Cayce datent de plusieurs centaines de millénaires avant l'ère chrétienne, comme la Lémurie et l'Atlantide; d'une dizaine de millénaires, comme le Gobi, l'Égypte des Grandes Pyramides et la Perse antique, etc. Voir *L'Univers d'Edgar Cayce* Tome I, Éd. R. Laffont.

poussées dans l'Antiquité qu'aujourd'hui, en particulier dans l'utilisation de chaque type d'instrument comme prescription médicale. A chaque instrument, dit-il, les Égyptiens attribuaient une vertu thérapeutique bien précise.

Il y a également très souvent, dans la maladie, un aspect karmique : la faiblesse du « terrain » physique datant d'erreurs d'une vie précédente. Aussi dans le conseil que donne Cayce à ses consultants — choisir tel ou tel type d'instrument —, entre en jeu l'histoire karmique de la personne. Celle-ci jouera plus aisément, dans la vie présente, d'un instrument qu'elle a pratiqué antérieurement (si toutefois cet instrument est associé à des souvenirs karmiques heureux... sinon, c'est l'allergie !).

« (En Égypte) L'ENTITÉ FUT PARMI LES PREMIERS MUSICIENS À JOUER DE LA HARPE, C'EST-À-DIRE DE LA LYRE, COMME ON APPELA PLUS TARD CET INSTRUMENT. »

(Lecture 275-33)

Dans cette vie-ci, la consultante 275-33 était une harpiste professionnelle ! Son talent venait de l'Égypte ancienne. Cayce lui conseilla certains morceaux pour se guérir.

Car les instruments actuels, dans leur forme occidentale, dérivent de civilisations très anciennes et très diverses. Elles nous ont laissé leur héritage plus ou moins abâtardi, se mêlant dans une sorte de mosaïque où chacun peut aujourd'hui retrouver quelque chose de ce qu'il a aimé dans un passé karmique.

Le choix d'un instrument dépend donc aussi du type de civilisation dans lequel le consultant a vécu ses vies antérieures. J'avais participé à des sessions culturelles à l'abbaye bénédictine de Toumliline au Maroc, au cours desquelles un ensemble de musique de chambre était venu donner aux étudiants une initiation à la musi-

174

que classique. Les Européens avaient été extrêmement surpris de constater que les jeunes Berbères de la montagne «n'entendaient» pas le piano; ils appréciaient très peu, en général, la musique classique. La seule chose qui les touchait, c'était la flûte. Et là, ils manifestaient, au contraire, une oreille d'une extraordinaire finesse. Pourquoi? Parce que dans le Moyen Atlas, la musique traditionnelle privilégie cet instrument, qui vient du fond des âges (de l'Atlantide?). C'est la flûte qui exprime le mieux la sensibilité berbère. Et je n'oublierai jamais les merveilleux concerts de «flûte berbère» que venaient donner, sous mes fenêtres, mes petits élèves. Une des plus belles, des plus déchirantes, des plus bouleversantes musiques que j'ai jamais entendues...

Donc, quelqu'un qui arrive d'une vie antérieure marocaine, par exemple, et garde, dans sa nouvelle incarnation, une vive sensibilité musicale, va la traduire en choisissant de préférence la flûte, parce que cet instrument lui rappelle sa vie précédente dans les Atlas. Ce principe est valable pour tout le monde. Le mérite de Cayce était de pouvoir orienter, avec précision, ses consultants grâce à sa vision immédiate de leurs vies antérieures.

Il y a aussi de vieilles âmes, qui ont vécu dans tant de civilisations différentes, qu'elles savent tout faire et peuvent jouer honorablement de n'importe quel instrument!

LES INSTRUMENTS À CORDES

Les Égyptiens, donc, considéraient que les ins-

175

truments à cordes étaient plus indiqués dans certaines maladies mentales:

«ET LORSQUE VOUS SOUFFREZ DE DÉPRESSION, LORSQUE VOUS VOUS SENTEZ TRÈS BAS, ET "PAUMÉ", JOUEZ DE LA MUSIQUE; PLUS SPÉCIALEMENT JOUEZ D'UN INSTRUMENT À CORDES QUEL QU'IL SOIT. CELA PERMETTRA À L'ENTITÉ DE FRANCHIR L'ABÎME ENTRE PESSIMISME ET OPTIMISME!»

(Lecture 1804-1)

Cependant, les traditions chrétiennes ont tenu certains instruments à cordes en suspicion: plusieurs d'entre eux furent interdits au cours des siècles, car on estimait qu'ils excitaient des passions trop humaines, détournant les fidèles de la prière. Ce n'est qu'au XIXe siècle que les instruments à cordes commencèrent à être largement admis dans les églises. Le violon, par exemple, avait été interdit *« par les conciles de Rome en 1725 et de Tarragone en 1738 »*. Que lui reprochait-on ? *« Ses prétendues cordes en boyau de chat, animal que d'aucuns tiennent pour diabolique »* [1]. Mais il fut officiellement réhabilité en 1954, par Pie XII, qui était lui-même violoniste amateur!

De façon générale, les instruments à cordes, trop émotionnels, étaient suspects. On les considérait comme «profanes», et mieux à leur place au théâtre. Les théologiens sentaient bien qu'ils étaient sous une influence vénusienne, que souligne ici Cayce:

«L'INFLUENCE DE VÉNUS — MAIS AUSSI CELLE D'URANUS ET DE NEPTUNE — FONT QUE L'ENTITÉ EST DOUÉE POUR LES INSTRUMENTS À CORDES, SPÉCIALEMENT POUR JOUER DU VIOLON OU DU VIOLONCELLE.»

(Lecture 1904-2)

---

1. R.J.V. Cotte, *Musique et Symbolisme*, Éd. Dangles, p. 131.

Depuis saint Paul, notre civilisation a toujours une grande difficulté à intégrer les vibrations de Vénus. Cela produit régulièrement des périodes de puritanisme, de jansénisme, où le cœur est en pénitence, et la sensibilité brimée...

La lecture ci-dessus décrit un consultant sous la triple influence de Vénus, d'Uranus et de Neptune. Cette dernière planète donne toujours au natif le souvenir inconscient (ou conscient!) des musiques des sphères d'avant son incarnation: *«Le souvenir des Mondes d'où ils viennent ne disparaît jamais de leur cœur»*, dit Albert Pauchard en parlant des enfants neptuniens. *«A chacun de ces enfants*, dit leur guide, *je laisse un splendide coquillage pour prendre avec lui le Chant de la Mer: la Musique de l'Infini... Afin qu'il se souvienne*[1]*!!!»*

Quant à Uranus, c'est la planète qui ouvre la perception des espaces infinis... Pour en revenir au violoncelle, dit Cayce, il est comme tous les instruments à cordes: une extraordinaire psychothérapie:

«LE MOYEN PRIVILÉGIÉ PAR LEQUEL L'ENTITÉ TROUVE À EXPRIMER SES ÉTATS D'ÂME, SES MOMENTS D'EXTASE, SES ÉMOTIONS, PARCE QUE SES SONORITÉS ONT ÉTÉ SOUVENT LIÉES AUX MYSTÈRES DE LA NATURE, À LEUR INFLUENCE SUR L'ÂME ET L'INTELLIGENCE DES HOMMES. C'EST AUSSI UN EXUTOIRE LORS DES MOMENTS DE TRISTESSE ET DE DÉPRESSION.»

(Lecture 1904-2)

De plus le violoncelle a des harmonies très proches de la voix humaine. A cela s'ajoute le fait que la caisse de résonance s'appuie contre le corps humain, lors du jeu: les vibrations se transmettent par contact physique direct aux centres glandulaires de l'étage inférieur (gonades, cellules de Lyden, surrénales).

1. *L'Autre Monde*, p. 134.

Au lieu de nous ruiner en tranquillisants, réapprenons à jouer d'un instrument à cordes:

« AINSI LE LUTH, ET EN GÉNÉRAL LES INSTRUMENTS À CORDES AGIRONT SUR VOUS COMME CALMANT. C'EST LE CAS ÉGALEMENT DES INSTRUMENTS QUI DONNENT UNE MUSIQUE QUE L'ENTITÉ PEUT INTERPRÉTER PAR LA DANSE ; CE SERAIT PRÉFÉRABLE AUX INSTRUMENTS DE CUIVRE. »

(Lecture 2700-1)

(Mais attention : il y a des personnes sur lesquelles les « sanglots longs des violons » font un effet dépressif. Il ne faut pas oublier que les prescriptions de Cayce sont toujours personnalisées.)

Cayce, pionnier comme toujours, avait prévu et encouragé le développement des thérapies par la musique. A l'époque, c'était nouveau ! C'est seulement aujourd'hui que l'on commence à mieux comprendre ce qu'il avait voulu dire:

« L'ENTITÉ DEVRAIT EXCELLER EN MUSIQUE, DANS LES INSTRUMENTS À CORDES, LA HARPE, LE PIANO[1]. ET CETTE MUSIQUE DEVRA ÊTRE UTILISÉE POUR GUÉRIR. POUR ÊTRE PLUS PRÉCIS, CELA FAIT PARTIE DE CE QUE L'ENTITÉ VEUT ENTREPRENDRE: SOIGNER LES INDIVIDUS MALADES DES NERFS, TRAUMATISÉS, DÉPRIMÉS ET DÉSADAPTÉS. »

(Lecture 3908-1)

LES INSTRUMENTS À VENT

Comme ceux à cordes, ils ont longtemps gardé leur odeur de soufre aux yeux des théologiens

1. Le piano entre dans la catégorie des instruments à cordes « frappées » tandis que la harpe entre dans celle des cordes « pincées ».

178

romains. Cors de chasse, clarinettes[1], trompettes, hautbois, flûtes, etc. convenaient, pensait-on, à la musique militaire. Le cantique de Noël:

«Il est né, le Divin Enfant,
«Sonnez hautbois, résonnez musettes»

évoque des instruments à vent, qui ne sont pas admis habituellement dans la liturgie. Ici, c'est exceptionnel, il s'agit du folklore de Noël, où chaque personnage garde les attributs de son état: les petits bergers, leur musette et leur hautbois. La cornemuse évoquait, au Moyen Age, tout ce qui était sexuel, comme on le voit sur les statues des cathédrales, en particulier les statues de musiciens qui sont au Musée de Reims. Quant à tout ce qui ressemble de près ou de loin à la flûte, cela évoquait le dieu Pan et ses satyres... personnages de la mythologie presque associés à la fécondité sexuelle. La cornemuse évoquait les danses profanes du village.

En général, on pensait que les instruments à vent ne convenaient qu'à la musique militaire. On en avait donc une perception «martiale», autrement dit, astrologiquement parlant, «martienne». Même chose pour les «béliers», sorte de trompes dans lesquelles on soufflait (tout ce qui est «bélier» est régi par la symbolique martienne). R.J.V. Cotte (op. cit. p. 136) fait d'ailleurs remarquer que *«les clarinettes en si bémol, les cors en mi bémol et les bassons constituaient la formation normale des musiques militaires sous Louis XV».*

L'orgue était prohibé dans les «temps de pénitence» (Avent, Carême, etc.). La tradition attribue donc aux instruments à vent des vibrations masculines et dynamiques, qui exprimeraient (et stimuleraient) la vigueur physique et sexuelle, l'entrain sportif, etc. Cayce les conseille à cer-

---

1. Avant la clarinette, qui n'apparaît qu'à l'époque de Mozart, on utilisait le «chalumeau».

tains consultants — de préférence aux instruments à cordes:

« IL DEVRAIT JOUER D'INSTRUMENTS DE MUSIQUE DÉRIVÉS DU ROSEAU, PLUTÔT QUE D'INSTRUMENTS À CORDES — QUOIQUE CES DERNIERS, LES INSTRUMENTS À CORDES, DEVRAIENT AUSSI FAIRE PARTIE DE SON ÉDUCATION MUSICALE. MAIS EN TANT QU'ACTIVITÉ RÉGULIÈRE, QU'IL CHOISISSE UN INSTRUMENT DE LA FAMILLE DE LA FLÛTE.[1] »

(Lecture 1566-3)

C'était un consultant qui avait besoin d'être stimulé...

LES INSTRUMENTS À PERCUSSION

Ma fille Éléonore, lorsqu'elle était petite, avait un passe-temps préféré: elle tambourinait du bout des doigts sur tout ce qui lui tombait sous la main. Bien entendu, cela créait des résonances différentes selon chaque matériau: le bois, le fer, le ciment... A bord d'une voiture, elle entretenait ainsi un bruitage constant... qui m'exaspérait, car je fais partie des gens qui conduisent «à l'oreille». Avec Éléonore comme passagère, je n'entendais plus les bruits famililiers de la voiture... J'ai mis du temps à réaliser que c'était une manifestation de grande sensibilité musicale. Plus tard, Éléonore apprit le piano, dont elle jouait très bien. Dans toutes les activités fondées sur la musique: la danse, la poésie, l'écriture, elle manifesta des dons brillants.

1. En Grèce et en Égypte, la flûte et l'aulos (hautbois) jouaient un rôle important dans la liturgie des initiations aux Mystères.

Le jeune enfant exprime donc son besoin de faire de la musique en tapant des coups rythmés sur les matériaux qui l'entourent. Et Cayce encourage! Pour lui, tout enfant doit pouvoir s'exprimer par le son, même en tapant sur n'importe quoi. Les instruments à percussion les plus modestes ne seront pas inutiles dans le développement musical de l'enfant:

« ESSAIE DONC D'APPORTER UNE PLUS GRANDE HARMONIE DANS TON EXISTENCE EN T'APPLIQUANT À JOUER TOI-MÊME DE LA MUSIQUE, ET EN LA PRATIQUANT! QUAND BIEN MÊME CE SERAIT SUR UN PEIGNE OU SUR DES VERRES[1], OU SUR DES CLOCHES OU SUR UNE HARPE, UN VIOLON OU UN PIANO: FAIS DE LA MUSIQUE!»

(Lecture 5201-1)

Comme on le voit, les instruments les plus coûteux ne sont pas forcément les meilleurs! Et combien de pauvres gosses ont été privés du simple, élémentaire plaisir de faire « boum » « bing » « bang », sous prétexte de « bonne éducation », ce qui les a définitivement dégoûtés de la musique! Ils auraient été si heureux qu'on leur offre un petit tambour tout simple! Mais leurs parents s'obstinaient à leur imposer les corvées de gammes au piano, dès leur âge le plus tendre. Pourquoi n'offre-t-on pas plus souvent aux enfants, à Noël ou à Pâques, des xylophones[2] ou bien des jeux de cloches?... Les cloches ont toujours eu une réputation magique. Dans la liturgie chrétienne, elles doivent *« appeler les fidèles à l'Église, chasser les mauvais esprits, dissiper les orages,*

1. « Glassharmonica » très en vogue au XVIIIᵉ siècle, au temps de Mozart.
2. C'est aussi l'optique du compositeur Carl Orff dont la pédagogie musicale basée sur les instruments à percussion (tambours, xylophones, carillons...) permet d'engager immédiatement un dialogue musical avec l'élève, en lui épargnant les lenteurs de l'apprentissage.

éloigner la foudre et les tempêtes». (Op. cit. p. 132). Il y a toute une série de légendes bretonnes sur les cloches fantômes; les plus connues sont celles d'Ys, que l'on entend parfois sonner par temps de brume, au-dessus des eaux qui recouvrent la ville engloutie...

Les tambours sont également liés à des perceptions «psi», comme ces fameux et mystérieux «tambours de la jungle», ou «des sables» dont j'ai parlé dans un précédent chapitre.

Je suis toujours très étonnée aussi de la puissance des tambours africains [1] qu'on entend dans les métros parisiens, d'une station à l'autre (ce qui n'est le cas pour aucun des orchestres de type occidental qu'on croise à chaque portillon!). Ces tambours africains, associés aux fêtes religieuses, avaient certainement également une puissante valeur thérapeutique : ils contribuaient, avec les chants et les danses, à mettre les participants dans un état de transe; et cette transe collective, provoquée par la remontée de l'énergie vitale dans les centres glandulaires majeurs, chez chacun des participants, leur apportait la guérison.

APPRENDRE À JOUER DE PLUSIEURS INSTRUMENTS

La lecture précédente laissait entendre qu'il vaut mieux faire de la musique (sur n'importe quoi!) que pas de musique du tout! Quitte plus tard à s'orienter vers l'instrument qui sera le

1. D'ailleurs le «tam-tam» de brousse qui servait de FR3 locale en Afrique, était à base de percussions (instruments de la famille des tambours).

plus adapté à la sensibilité personnelle. C'est aussi ce que suggèrent les lectures suivantes :

«LA MUSIQUE, LA BEAUTÉ, LA JOIE, L'HARMONIE, ET MÊME LES CHANSONS, DEVRAIENT AVOIR LEUR PLACE DANS TON DÉVELOPPEMENT. APPRENDS LE CHAGRIN, APPRENDS LA JOIE. MAIS EXPRIME-LES (...) DANS UNE CHANSON QUE TU COMPOSE-RAS OU DANS LA MÉLODIE QUE TU TIRERAS D'UN INSTRUMENT DE MUSIQUE AUQUEL TU DONNERAS LA PAROLE. EXERCE-TOI SURTOUT À L'ORGUE. QUE CELUI-CI SOIT TON MODE D'EXPRES-SION — MAIS AUSSI LE PIANO — (...). PIANO, ORGUE, CHANSON, TU DEVRAIS FAIRE DE LA MUSIQUE LE TRAVAIL DE TA VIE. DEVIENS CONCERTISTE, PROFESSEUR DE MUSIQUE, DIRIGE UN CHŒUR, OU QUOI QUE CE SOIT DANS CE DOMAINE. C'EST CELA QUI TE PERMETTRA DE DEVENIR UNE BÉNÉDICTION POUR LES AUTRES, ET APPORTERA LA PAIX À TON ÂME. CE SERA TA JOIE, TON BONHEUR, EN TOUTES CIRCONSTANCES.»

(Lecture 3234-1)

C'est en pratiquant différents instruments que l'on pourra faire le choix qui conviendra plus particulièrement à tel ou tel cas, en fonction d'un but précis :

«MAIS AUJOURD'HUI, L'ENTITÉ DOIT CHOISIR LE TYPE D'EXPRESSION MUSICALE QUI SERA LE PLUS EFFICACE POUR GUÉRIR ET MENER À UNE VIE SPIRITUELLE.»

(Lecture 942-12)

«Devrait-il (le consultant) apprendre à jouer d'un instrument de musique ? Et si oui, lequel serait préférable ?»

«LA MUSIQUE DEVRAIT FAIRE PARTIE DU DÉVELOPPEMENT DE TOUTE ÂME. LE PIANO OU LE BANJO SERAIENT BONS POUR CETTE ENTITÉ.»

(Lecture 2780-3)

Cayce estime donc qu'il ne suffit pas d'écouter de la musique passivement. Il faut également apprendre à jouer d'un instrument — ce qui représente en soi une discipline extrêmement bénéfique. En effet, la musique (comme la peinture) est un moyen d'expression non verbal, qui permet d'exprimer ce que les mots ne pourraient traduire (ou ce pour quoi la personne n'a pas de mots!). L'apprentissage d'un instrument devrait normalement aller de pair avec l'étude des théories musicales et l'histoire de la musique. C'est bien entendu l'avis de Cayce; voici une autre lecture, donnée pour une jeune fille qui avait un tempérament de musicienne et demandait quel genre d'études elle devait faire :

« DE LA MUSIQUE ! L'HISTOIRE DE LA MUSIQUE, L'HISTOIRE DES TECHNIQUES MUSICALES SOUS TOUTES LES FORMES. SI VOUS ÉTUDIEZ LA MUSIQUE, VOUS ÉTUDIEZ LES MATHÉMATIQUES. SI VOUS ÉTUDIEZ LA MUSIQUE, VOUS ÉTUDIEZ PRESQUE TOUT CE QUE VOUS AVEZ À ÉTUDIER... SAUF CE QUI EST MAUVAIS ! »

(Lecture 3053-3)

Si la musique permet de comprendre les mathématiques, celles-ci — bien comprises — devraient mener à la connaissance de toutes choses... mais en tous cas, pour commencer, à un développement harmonieux de l'ensemble des facultés. Car à travers une éducation musicale, l'élève apprend à se coordonner intérieurement :

« SAVOIR LIRE LA MUSIQUE, ET EN JOUER, RELÈVE DE DIFFÉRENTES FACULTÉS DU MENTAL DANS LA MÊME PERSONNE. IL S'AGIT DE DIFFÉRENTS CLAVIERS DE LA MÊME CONSCIENCE. DONC IL EST POSSIBLE À CES FACULTÉS DE FONCTIONNER SIMULTANÉMENT DANS PLUSIEURS DIRECTIONS DIFFÉRENTES. CELA DÉPEND DU POUVOIR DE CONCENTRATION DE L'INDIVIDU, C'EST-À-DIRE DE SON APTITUDE À COORDONNER, LÀ OÙ ELLES SONT, CES DIFFÉRENTES FONCTIONS QUI SONT LA MANIFESTATION DES ÉNERGIES SPIRITUELLES DANS LE PLAN MATÉRIEL. N'EST-CE PAS JOLI ? »

(Lecture 5754-3)

L'apprentissage de chaque instrument développe donc une faculté différente — et si l'on apprend à en maîtriser plusieurs, on acquiert un plus large épanouissement humain.

Pour en revenir aux différents instruments, Cyril Scott, dans *La Musique et son influence secrète à travers les âges*[1], estime que : *«Si nous divisons tous nos instruments d'orchestre en quatre catégories, il serait correct de dire dans l'ensemble que :*

1 — les batteries et les cuivres affectent le corps physique

2 — les instruments de bois, le corps émotif

3 — les cordes, le mental et les émotions

4 — la harpe et l'orgue, les sentiments d'ordre spirituel.

Cependant, si un certain genre de musique est joué par des instruments à vent, mais d'une manière particulière, et en conjonction avec d'autres instruments (...), les effets peuvent être tout autres.» (Op. cit. p. 196)

Autrement dit, si chaque type d'instrument a une action plus spécifique sur l'un des trois corps (et aussi sur tel ou tel organe du corps physique), cette action thérapeutique ne dépend pas seulement de l'instrument. Entrent en jeu également le type de musique, et la façon dont elle est interprétée.

Cyril Scott, dans ce même ouvrage remarquable, explique que la musique grecque, et actuellement européenne, basée sur le demi-ton, stimule plus particulièrement le plan physique; que la musique d'Égypte ancienne, en tiers de ton, touchait essentiellement le plan des émotions; et que le quart de ton de la musique indienne en appele spécialement au mental. (Op. cit p. 194).

1. Éd. La Baconnière, à Neuchâtel (Suisse).

Les instruments ont varié au cours des âges, et chaque civilisation produit ceux qui conviennent à son programme spirituel.

La musique de demain pourra, dit encore Cyril Scott, *« mettre l'humanité en rapport constant avec les plans supérieurs, permettant ainsi à un plus grand nombre d'entre nous d'expérimenter les joies ineffables et les exaltations spirituelles, qui ne sont encore réservées actuellement qu'à un tout petit groupe. »* Il existera alors de nouveaux types d'instruments — en particulier *« un nouveau type de violon qui n'a pas encore été inventé. Il y aura de nouveaux courants de force cosmique (...) inspirant des qualités, des tendances et des idéaux plus élevés et plus généreux, que la puissance de la musique devra focaliser et distribuer en messages rythmiques. Des torrents de mélodie seront déversés des plans supérieurs pour être traduits en musique terrestre par des compositeurs à la sensibilité suffisamment entraînée pour les recueillir. »* (Op. cit. p. 240). Mais : *« Les instruments nécessaires à l'interprétation de cette musique n'ont pas encore été inventés. »* (ibid. p. 147).

Peut-être le travail des frères Baschet est-il une étape dans cette voie : ils ont inventé des structures sonores produisant des sons nouveaux, qui donnent une dimension spatiale à leurs concerts (et sans l'aide de l'électronique). Le synthétiseur ouvre également d'autres perspectives...

VIII

QUELQUES COMPOSITEURS CITÉS PAR CAYCE

QUELQUES COMPOSITEURS...

Les lectures ne mentionnent que très peu de compositeurs. Personne n'a demandé à Cayce une analyse des différents maîtres connus à son époque : le grand public connaissait peu les grands compositeurs. Les facilités que nous donne l'électronique aujourd'hui n'existaient pas : on n'achetait pas encore ses épinards au supermarché sur la musique des *Quatre saisons* de Vivaldi !

A l'époque de Cayce, aux États-Unis, on ne connaissait guère que les romantiques. La musique baroque était ignorée, Mozart, Vivaldi, Bach, inconnus ou considérés comme désuets[1]. Voilà pourquoi les compositeurs mentionnés par Cayce sont tous du XIXᵉ siècle : Liszt, Brahms, Chopin, Johann Strauss.

1. C'est Mendelssohn qui, non sans mal, fit redécouvrir Bach après plus de cinquante ans d'oubli. Avec sa sœur Fanny, il jouait tout le *Clavier bien tempéré* de Bach dès leur plus jeune âge. En 1829 à Berlin, il fit jouer la *Passion selon Saint Matthieu*, qui déchaîna les enthousiasmes. Mais il fallut encore plus d'un siècle pour que cet enthousiasme atteigne le public non allemand.

Voici une lecture demandée à Cayce pour un petit bébé de onze mois:

« L'ENTITÉ DEVRA DÈS SON PLUS JEUNE ÂGE RECEVOIR UNE ÉDUCATION MUSICALE. ELLE A UNE TENDANCE NATURELLE, UNE ATTIRANCE VERS LES CHOSES DE L'ART; C'EST UN TEMPÉRAMENT D'ARTISTE. CET ENFANT A UN DON POUR LE CHANT — ET AUSSI UN DON POUR JOUER DE N'IMPORTE QUEL INSTRUMENT, SI ON LUI DONNE SA CHANCE; SPÉCIALEMENT COMME COMPOSITEUR, DANS TOUTES LES SORTES DE COMPOSITION: LES SYMPHONIES, TOUTES LES FORMES D'INTERLUDES MUSICAUX, ETC. — MAIS ÉGALEMENT COMME INSTRUMENTISTE. C'EST CELA QU'IL DEVRA APPRENDRE; ET CELA PEUT LUI OUVRIR D'ENCORE PLUS VASTES PERSPECTIVES. DÈS QUE L'ENFANT EN SERA CAPABLE, INSISTEZ POUR QU'IL COMMENCE LE PIANO; QU'IL EN JOUE COMME UNE RÉCRÉATION. VOUS VOUS APERCEVREZ ASSEZ VITE, À SES ACTIVITÉS, QU'IL A DE L'OREILLE...

AVANT CETTE INCARNATION-CI, L'ENTITÉ ÉTAIT EN AUTRICHE, PLUS PRÉCISÉMENT EN HONGRIE. LÀ, L'ENTITÉ ÉTAIT QUELQU'UN DE REMARQUABLE, SOUS LE NOM DE LISZT; ÉTANT AUSSI BIEN COMPOSITEUR QU'INSTRUMENTISTE. DE SES ACTIVITÉS AU COURS DE CETTE INCARNATION-LÀ, QUI ONT MARQUÉ L'HISTOIRE DE LA MUSIQUE, CERTAINES SERONT SPÉCIALEMENT INTÉRESSANTES À CONNAÎTRE POUR L'ENTITÉ AUJOURD'HUI. IL SERA FACILE DE VOIR, ET DE COMPARER BIEN SÛR, LES FAUTES, LES ERREURS, AUSSI BIEN QUE LES ACTIVITÉS AU TRAVERS DESQUELLES L'ENTITÉ, DANS SON INCARNATION DE CETTE ÉPOQUE, PARVINT À CETTE POSITION IMPORTANTE DANS LE MONDE MUSICAL.

VOILÀ POURQUOI NOUS SUGGÉRONS DE PRÉNOMMER CET ENFANT FRANZ: CAR L'ENTITÉ FUT FRANZ LISZT. »

(Lecture 2584-1)

J'ai donné le thème astrologique de la naissance de ce bébé dans *L'Astrologie karmique* (Éd. Robert Laffont). Étonnante histoire karmique!

De façon générale, on constate dans les séquences de vies antérieures données par Cayce, que les artistes ont tendance à se réincarner encore et encore comme artistes. Un musicien se réincarnera souvent comme musicien, comme c'est le cas ici. Mais également comme danseur ou comme écrivain (profession où l'on doit avoir de l'oreille!). Il peut aussi se réincarner comme peintre, comme architecte, comme acteur: il s'agit toujours de beaux-arts!

Dans la perspective réincarnationiste, qui est celle de Cayce, la musique accompagne les groupes d'âmes, qui se réincarnent d'une civilisation à l'autre. Par exemple, le cas de Mozart: l'analyse de son thème, en astrologie karmique, montre de toute évidence qu'il avait déjà été un très grand compositeur dans une incarnation précédente, vraisemblablement en Égypte[1]. Après avoir lu les lectures de Cayce sur les incarnations européennes du XVIIIe siècle (qui avaient toutes passé par l'Égypte ancienne), je suis persuadée que «l'entité» de génie, qui s'est incarnée comme Mozart, portait en elle la musique des Pyramides. Rien ne m'ôtera cette idée... D'ailleurs Cayce dit qu'il n'y a rien de nouveau sous le soleil! L'origine égyptienne de la musique de Mozart expliquerait son efficacité thérapeutique. Comme dit le Pr Tomatis:

«Après une longue expérience clinique et de nombreux essais en laboratoires, nous avons choisi électivement la musique de Mozart (surtout les pièces pour vio-

---

1. L'Égypte, sous l'influence de Mercure et de Vénus (l'intelligence et la beauté) est «régie» par le signe double des Gémeaux et par le signe cardinal de la Balance. Mercure est le nom latin d'Hermès-Thot, inspirateur de toute la civilisation égyptienne. Si Gémeaux et Balance sont en évidence dans un thème, ainsi que Mercure et Vénus, il y a une forte probabilité d'incarnation égyptienne. Le thème de Mozart, né le 27 janvier 1756 à 20 h à Salzbourg, porte les Gémeaux en Milieu-du-Ciel ainsi que Mercure et Vénus dans le signe musical du Verseau; et le Soleil, Saturne et Mercure, dans la maison créatrice du Lion (la V).

lon) car elle seule nous donne des résultats étonnants, toujours positifs, dans tous les coins du monde et quelle que soit l'ethnie qui se trouve concernée. C'est en cela que nous pouvons dire de la musique de Mozart qu'elle est universelle. Ce grand compositeur était sans aucun doute directement branché sur les rythmes cosmiques qu'il a su transcrire. » (Op. cit. p. 17)

Dans une autre lecture, Cayce parle de Brahms :

« MAIS SURTOUT FAIS L'EXPÉRIENCE D'ÉCOUTER ET DE REGARDER UNE MAMAN CHANTER LA *BERCEUSE* DE BRAHMS, ET TU VERRAS QUELLE SIGNIFICATION IMPORTANTE CELA PREND DANS TA VIE. ESSAIE DE SAISIR LES NOTES QUI TRADUISENT L'AMOUR ET L'ÉMOTION DE LA PERSONNE QUI CHANTE CE CHANT D'ENTRE LES CHANTS, C'EST-À-DIRE LES NOTES PURES ET VRAIES "DES CHOSES QUE MA MÈRE ME CHANTAIT". CELLES-CI DEVIENDRONT TRÈS SIGNIFICATIVES POUR TOI — ET TU NE LES OUBLIERAS PAS LORSQUE, À TON TOUR, TU AURAS À LES EXPLIQUER À TES ENFANTS. »

(Lecture 3659-1)

Dans *L'Influence secrète de la Musique à travers les Ages*, (traduction française, Éd. la Baconnière, Neuchâtel, Suisse), Cyril Scott évoque ainsi ce grand musicien — ce magicien : *«Quatre mois avant sa mort, Brahms confessa que, lorsqu'il composait, il se sentait lui-même inspiré par une force qui lui était étrangère. Comme il croyait à l'existence d'un Esprit Suprême, il maintenait que l'artiste créateur ne composait et ne pouvait composer des œuvres immortelles que lorsqu'il était en union avec cet Esprit. Cela revenait à dire que tous les grands artistes, quel que soit leur champ d'activité, sont des médiums — qu'ils en soient conscients ou non. Je dois ajouter en passant que Brahms fit cette déclaration à condition qu'un tel aveu ne fût pas rendu public avant l'écoulement de cinquante années après sa mort[1].* » Et Cyril Scott de commen-

---

1. Qui eut lieu en 1897.

ter: «*Il existe deux types de compositeurs; d'une part ceux que nous appellerons "inspirés", parce qu'ils possèdent les qualités qui leur permettent d'être utilisés par les Forces supérieures. Et d'autre part ceux qui, privés de ces qualités, ne peuvent être employés comme médiums. Le compositeur "inspiré" est celui qui aide à façonner les caractéristiques de l'avenir par le truchement de la vibration des sons, tandis que le compositeur non inspiré reflète les caractéristiques de son entourage. Cela explique pourquoi tant d'œuvres de nos jours et des années récentes (j'écris en 1958) appartiennent au genre ultra-dissonant...*» (op. cit. p. 26). Car nous sommes à une époque «dissonante», époque de crise à la charnière de deux ères (voir *Les Prophéties d'Edgar Cayce*, Éd. Le Rocher). Enfin, Cyril Scott estime que «*la musique de Brahms ne fut qu'une variante de celle de Beethoven et de Mendelssohn, c'est-à-dire qu'il décrivit les émotions humaines et par là inspira la compassion*». (ibid., p. 122.)

Cependant, cette opinion de Cyril Scott devrait être nuancée: aujourd'hui on estime que Brahms a débarrassé la musique d'un pathos qui devenait encombrant chez les deux autres compositeurs cités. Brahms reflète plutôt un art de vivre, par l'équilibre qu'il dégage (en particulier dans ses symphonies).

La thèse de Scott est que la musique exerce une influence énorme — et insoupçonnée — sur l'évolution des mœurs. Il rend la musique de Haendel responsable du puritanisme en Angleterre à l'époque victorienne — musique majestueuse, certes, mais également raide et compassée. Scott attribue à Beethoven une influence contraire, de libération passionnelle; et à Mendelssohn, une libération des émotions permettant l'expression de la compassion. Dans chacun des cas, la répercussion sur la psychologie sociale se fait sentir un siècle ou un demi-siècle plus tard.

Cyril Scott, compositeur lui-même, écrivit son livre en collaboration avec un médium, sous l'inspiration du Maître Koot-Houmi. Celui-ci disait avoir été Pythagore dans une incarnation ancienne, et, pour cette raison, s'intéresser particulièrement à l'influence de la musique sur l'évolution de l'humanité.

Scott consacre également tout un chapitre à Chopin, dont l'influence *« se fit sentir dans la peinture en inspirant indirectement l'école préraphaélite, avec Burne-Jones — puis en littérature, où elle communiqua le raffinement de son style aux Flaubert, Rossetti, Paul Verlaine, Maeterlinck et autres »*. On y retrouve *« cette même langueur raffinée, cette même suavité diaphane que l'on rencontre fréquemment dans les mélodies de Chopin »* (ibid., p. 91). La musique de ce compositeur est souvent associée à l'idée de rêve; l'adjectif « rêveuse » lui convient particulièrement bien. Or voici le commentaire de Cayce sur Chopin :

« (Les œuvres de Chopin) TRADUISAIENT SURTOUT QUELQUE CHOSE DES SENSATIONS NOCTURNES, C'EST-À-DIRE DES IMPRESSIONS QUI ACCOMPAGNENT LE SOMMEIL ; ET CECI PEUT ÊTRE UTILISÉ PAR L'ENTITÉ DANS LE RYTHME MÊME DE LA VIE. »
(Lecture 949-13)

Comme dit Scott, ceux qui critiquent Chopin *« ne font que trahir leur inaptitude à apprécier l'exclusif, la quintessence du raffinement. Chopin fut un inventeur d'une inspiration rare, qui enrichit à tel point le vocabulaire de son temps qu'il fit école jusque chez des compositeurs relativement récents, tels que Richard Strauss, par exemple. Il y a par ailleurs, du point de vue occulte, des raisons bien définies pour lesquelles Chopin n'utilisa pas et ne pouvait pas utiliser de plus larges canevas (...), raisons liées en partie aux limitations personnelles du compositeur, et en partie aux limitations collectives de son temps (...). Si Chopin avait été soumis à une inspiration*

plus intense, son corps physique, relativement frêle,
n'aurait pas été capable d'endurer la tension requise ».

(ibid. p. 97).

Pour terminer la courte liste des compositeurs et compositions cités par Cayce, Johann Strauss junior :

> « GARDEZ À MÊME LE CORPS LE MAUVE, LE BLEU LAVANDE ET DES OBJETS BRILLANTS; ÉCOUTEZ CERTAINES MUSIQUES HARMONIEUSES, COMME PAR EXEMPLE *LE CHANT DU PRINTEMPS*[1], LE BEAU DANUBE BLEU, LA MUSIQUE POUR INSTRUMENTS À CORDES OU POUR ORGUE. CE SONT LÀ DES VIBRATIONS QUI RAMÈNERONT LA SANTÉ À SON NIVEAU NORMAL, MENTALEMENT ET PHYSIQUEMENT, SI ON LES TIENT RÉGULIÈREMENT DANS L'ENVIRONNEMENT DE CE CORPS. »

(Lecture 2712-1)

Autrement dit, valsez! La valse viennoise — comme toutes les danses issues du folklore — est une thérapie en soi...

Enfin — last but not least — Cayce parle d'un très grand compositeur auquel on n'a pas encore rendu justice : le Christ Lui-même!

> « CAR SAVEZ-VOUS QUE LE PRINCE DE LA PAIX FUT LUI-MÊME HARPISTE ? »

(Lecture 275-35)

(En anglais : « WAS A HARPIST HIMSELF »)

Non seulement Cayce veut dire « un musicien qui jouait de la harpe », mais il apparaît, d'après d'autres lectures, que le Christ aurait été aussi... compositeur. Comme je l'ai raconté dans le tome II de *L'Univers d'Edgar Cayce* (page 49), plusieurs lectures mentionnent le mystérieux Asaph (lectures 364-7 et 8, en particulier). Ce person-

---

1. *THE SPRING SONG* dans le texte, probablement traduction anglaise inexacte de *Frühlings Stimmen*, en allemand.

195

nage de la Bible est cité par le Deuxième Livre des Chroniques (V,12). La lecture 1035-1 suggère qu'il aurait été un très proche collaborateur du roi David, et musicien lui-même ; et la tradition juive lui attribue la composition de certains psaumes (*Le Seigneur est mon berger*). Il aurait été « Maître de Chœur » de David et de Salomon (en fait, le confident du roi, une sorte d'éminence grise). Asaph était le « ministre de la Musique », à une époque où la musique jouait un rôle essentiel dans la liturgie de cet état théocratique qu'était le royaume juif. Cayce met « Asaph » ou « Asapha » dans la liste des incarnations anciennes du Christ Cosmique, qui ont précédé celle en tant que Jésus (tome I, pp. 268-269). Ainsi, lorsqu'il parle du « PRINCE DE LA PAIX QUI FUT HARPISTE », nous ne savons pas trop s'il désigne le Grand Maître Asaph ou Jésus-Christ (dans les années cachées précédant son ministère !).

IX

UNE LECTURE COMPLÈTE SUR LA MUSIQUE

Certains de mes lecteurs se sont peut-être demandé à quoi ressemble une lecture complète de Cayce? C'est-à-dire une lecture « in extenso » — et non pas découpée en tranches comme je vous les sers d'habitude!

J'ai pensé que cela pourrait être intéressant de donner ici une lecture de A à Z, telle qu'on les trouve dans les dossiers de la Fondation Cayce. Cette lecture parle beaucoup de musique, parce qu'il s'agit d'un consultant qui a toujours aimé la musique, depuis la toute première de ses vies jusqu'à la présente. Dans celle-ci, « L'ENTITÉ », donc, (comme dit Edgar) était un jeune homme qui faisait son service dans la Marine, en 1943. Et comme il était à un tournant de sa vie, il demanda une lecture à Cayce, que voici.

Lecture 5056[1], le 6 mai 1944

Présents: Edgar Cayce; Gertrude Cayce,

---

1. Le nom, comme dans toutes les lectures, est remplacé par un numéro pour préserver l'anonymat des consultants, menacés de persécution par leurs églises, me dit-on à Fondation Cayce.

« conductrice » (de la lecture); Gladys Davis (secrétaire); J.F.; M. et Mme Jones (amis du jeune homme qui demande la lecture, mais qui n'est pas présent). Heure de la lecture: de 15 h 30 à 16 h 30.

Suggestion donnée par Gertrude Cayce:

« Voici devant vous M. X. (5056), né le... Vous voudrez bien donner les relations de cette entité avec l'Univers, avec les énergies de l'Univers (Gertrude Cayce reprend la phraséologie bizarre d'Edgar). Vous décrirez les tendances de caractère qui forment la personnalité, dans ses aspects latents et dans ses aspects visibles, pour sa vie présente[1]; vous voudrez bien donner aussi les apparitions anciennes (de l'entité, autrement dit ses incarnations) sur le plan terrestre, en mentionnant l'époque, le lieu, le nom qu'elle a porté; et donner ce qui dans chaque vie a développé ou retardé l'entité (sur le plan moral); quelles sont les aptitudes de l'entité à présent? et ce qu'elle pourrait accomplir, et comment? Et vous répondrez aux questions lorsque je les énoncerai. »

Edgar Cayce (après avoir répété la suggestion à mi-voix):

« OUI, NOUS AVONS ICI LES DOSSIERS[2] D'UNE PERSONNALITÉ TOUT À FAIT EXCEPTIONNELLE — QUI FUT AUSSI ATLANTE. CETTE ENTITÉ, L'EXPÉRIENCE DE LA VIE ACTUELLE PEUT EN

---

1. Cayce fait une distinction entre *l'entité*, c'est-à-dire l'être tout entier avec toute son histoire et toutes ses possibilités, et la *personnalité*, c'est-à-dire les possibilités, les talents, les facettes positives, et négatives, que l'entité a décidé de travailler dans une incarnation précise. A chaque vie terrestre, l'entité ne joue qu'une partie de ses cartes et ne peut liquider qu'une partie de son karma.

2. Akashiques (voir tome I de *L'Univers d'Edgar Cayce*, Éd. Robert Laffont, p. 34).

FAIRE QUELQU'UN... OU BIEN LA BRISER DANS SA QUÊTE D'UNE RÉPONSE SPIRITUELLE À SES INSTINCTS CHARNELS. C'EST CE QUI A TOUJOURS ÉTÉ LA QUESTION DANS LES EXPÉRIENCES QU'ELLE A FAITES AU COURS DE SES DIVERS SÉJOURS TERRESTRES. »

Voici donc une âme, une «entité», qui a dû redoubler ses classes, parce qu'elle a toujours achoppé sur le même problème : chaque fois que nous ratons quelque chose, nous devons le recommencer dans une autre vie. Ceci jusqu'au jour où nous aurons appris parfaitement notre leçon de divinité... puisque nous sommes destinés à «devenir des dieux» : *«Soyez parfaits comme le Père est parfait»*, dit le Christ dans l'Évangile. Gros travail, qu'il serait bien impossible de mener à bien en une seule vie !

« AINSI, COMME NOUS VENONS DE LE DIRE, NOUS AVONS CES EXPÉRIENCES DE VIE EXCEPTIONNELLES QUE L'ENTITÉ A VÉCUES SUR LA TERRE ET SES TENDANCES FORTEMENT MARQUÉES — TENDANCES AUX RELATIONS SEXUELLES DIFFÉRENTES DES NORMES HABITUELLES. CAR DANS SA VIE EN ATLANTIDE, L'ENTITÉ CHERCHA À ÊTRE DES DEUX SEXES, ET CE NE FUT UN SUCCÈS NI DANS L'UN NI DANS L'AUTRE ! »

Cayce raconte ailleurs[1] qu'il avait existé des hermaphrodites en Atlantide. D'après lui, la division fonctionnelle en deux sexes bien distincts ne s'était faite que peu à peu. De nombreuses statues grecques classiques représentent des hermaphrodites : pour les Grecs, comme pour tous les peuples de notre Antiquité classique, de tels êtres avaient bel et bien existé.

« DONC, EN DONNANT UNE ANALYSE DES DOSSIERS (aka-shiques) DE CETTE ENTITÉ, NOUS TROUVONS COMME MOTIVATION, À LA FOIS CACHÉE ET VISIBLE, LA MUSIQUE. ELLE DEVRAIT ÊTRE LA CARRIÈRE, L'OBJECTIF DE TOUT TRAVAIL DE L'ENTITÉ — MAIS CELA IMPLIQUE DES EFFORTS D'AMÉLIORATION PERSON-

1. Idem, p. 181.

NELLE POUR L'AMOUR DE LA MUSIQUE EN ELLE-MÊME. CE TRA-
VAIL DEVRA PORTER SEULEMENT SUR LA MUSIQUE CLASSIQUE
ET L'OPÉRA. »

Et surtout pas le jazz, ni le rock...! Musiques charnelles qui ne délivreront pas la pauvre «entité» de ses obsessions. Et puis, attention aux trop séduisants professeurs de musique:

« CAR L'ENTITÉ ÉTUDIA AVEC SAINTE CÉCILE; ELLE PARVINT À ATTEINDRE PRESQUE LES ROYAUMES DE L'INFINI JUSQU'À ÊTRE CAPABLE D'INTERPRÉTER LA MUSIQUE DES SPHÈRES CÉLESTES; ET CEPENDANT, PAR CERTAINS CÔTÉS, ELLE ÉCHOUA, CAR L'ENTITÉ TOMBA AMOUREUSE DE LA SAINTE, ET VOUS DEVINEZ CE QUI ARRIVA! »

La sainte, ayant d'autres chats à fouetter, n'encouragea guère son pauvre élève...

« DONC DANS VOTRE ITINÉRAIRE SPIRITUEL, IL FAUDRA QUE VOUS PARVENIEZ À UN ÉVEIL DE VOUS-MÊME TEL QUE DANS VOS CONTACTS, VOS MODÈLES, VOS ACTIVITÉS, VOUS N'ÉCOU-TIEZ D'AUTRE RÉPONSE QUE LES VOIX DE LA NUIT, QUE LA RHAPSODIE DE LA LUNE SUR L'EAU ET LA VOIX DU SOLEIL COU-CHANT. CELLES-CI, ET TOUTE LA NATURE ELLE-MÊME, VOUS ARRACHERONT À VOS ÉMOTIONS PHYSIQUES — CELA EST IMPORTANT — POUR VOUS AIDER À LES SUBLIMER EN ÉMO-TIONS SPIRITUELLES ET MENTALES. »

La drogue n'est pas un phénomène nouveau: et pour beaucoup de gens, les émotions amou-reuses sont la meilleure des drogues... La plus insidieuse, parce que l'on s'en méfie moins, elle donne l'impression de vivre intensément. Mais à long terme, l'amour-drogue détruit comme les autres... Ceux qui cherchent aujourd'hui à sau-ver les drogués savent que l'on n'y arrive que par une discipline draconienne: travail manuel très dur, horaires monastiques, abstention rigou-reuse de tabac, de cigarettes, d'alcool, de viande, de télé, etc. C'est ainsi que certaines communautés italiennes et monastères asiatiques obtiennent de bons et rapides résultats. Sans un régime draconien, rien à faire. C'est bien ce que propose Cayce à son jeune drogué d'ivresses érotiques:

«L'ENTITÉ DEVRA DONC S'ENGAGER À TRAVAILLER PENDANT UN AN, ÉCONOMISANT SOU À SOU, POUR PAYER SES LEÇONS DE MUSIQUE, NE DÉPENSANT QUE POUR LA MUSIQUE. ELLE DEVRA S'IMPOSER UN ENSEMBLE DE DISCIPLINES PHYSIQUES: DORMIR SUR UN LIT TRÈS DUR; NE PAS MANGER TROP, SURTOUT NE PAS SE LAISSER ALLER AUX SUCRERIES QUI SURCHARGENT LE CORPS; NI PERDRE SON TEMPS DANS DES ACTIVITÉS TELLES QUE LE CINÉMA, ET LES FILMS QUE L'ON MONTRE AUJOURD'HUI. GARDEZ-VOUS-EN! JEÛNEZ AU PAIN ET À L'EAU CERTAINS JOURS. MAIS FAITES-LE DE VOUS-MÊME, DANS LE BUT DE RÉUSSIR, DE DEVENIR UN JOUR GRAND PIANISTE, PLUS GRAND MÊME QUE HOFMANN[1].» («Hofmann, Josef Casimir» a noté la secrétaire.)

Ensuite, Cayce reprend méthodiquement l'analyse des vies antérieures — pas toutes, les plus importantes, celles qui marquent la vie actuelle:

«EN CE QUI CONCERNE LES ACTIVITÉS (passées) SUR LA TERRE, IL Y EN EUT BEAUCOUP, ET DEPUIS LONGTEMPS: ELLES ONT FORMÉ LA STRUCTURE DE CETTE ENTITÉ EXCEPTIONNELLE, LUI DONNANT À PRÉSENT UNE CHANCE D'AIDER BIEN DES PERSONNES À S'ÉPANOUIR MATÉRIELLEMENT COMME SPIRITUELLEMENT; AINSI NOMBRE D'ENTRE ELLES DÉCOUVRIRONT LEUR VRAIE RELATION À L'INFINI.

EN CE QUI CONCERNE LA VIE AVANT CELLE-CI, L'ENTITÉ SOUS LE NOM DE GIOVANNA BACTIOO[2] TRAVAILLA LA MUSIQUE

---

1. Josef Hofmann, très grand pianiste américain, de la première moitié du xxe siècle.
2. Transcription de la secrétaire qui n'entendait que l'anglais. (Ce qui ferait en français: Baksiou? ou Baktchou?... Le prénom «Giovanna» n'est pas très sûr non plus. C'est de l'italien relativement moderne, tel qu'on ne le parlait pas encore à l'époque de sainte Cécile! La plus grande fantaisie règne sur les noms propres européens transcrits par les secrétaires de Cayce.)

AVEC LA SAINTE (Cécile, mentionnée plus haut,). AU FIL DES
JOURS, DANS SA PASSION PHYSIQUE POUR LA SAINTE, ELLE EN
OUBLIA LA MUSIQUE ET, FINALEMENT, SE SUICIDA. »

Ce qui crée, dans tous les cas, un karma sup-
plémentaire...

« AUPARAVANT NOUS RETROUVONS L'ENTITÉ DANS LE TEM-
PLE DE SALOMON, À JÉRUSALEM, C'ÉTAIT L'ÉPOQUE OÙ DAVID
CHOISISSAIT CEUX QUI ÉTAIENT DESTINÉS À SUIVRE UNE FOR-
MATION POUR DEVENIR LES MUSICIENS DU FUTUR TEMPLE.
DAVID CHOISIT DE JEUNES HOMMES QUI REÇURENT UNE ÉDU-
CATION AUSSI BIEN PHYSIQUE QUE MENTALE ET SPIRITUELLE,
DANS L'ÉCOLE QUI AVAIT ÉTÉ OUVERTE PAR ÉLIE SUR LE MONT
CARMEL. »

Il s'agit de la fameuse «École des Mystères», qui
donnera plus tard naissance au mouvement essé-
nien et créera des filiales tout autour de la Médi-
terranée[1].

« C'EST AINSI QUE L'ENTITÉ, DU NOM D'ASPHA, SE RETROUVA
PARMI CEUX QUI ASSURAIENT LE SERVICE DU TEMPLE,
LORSQU'IL FUT INAUGURÉ SOUS LE RÈGNE DE SALOMON. EN CE
TEMPS-LÀ, C'ÉTAIT LA GLOIRE ; ET LORSQUE LA REINE DE SABA
VENAIT RENDRE VISITE À SALOMON, C'ÉTAIT L'ENTITÉ QUE L'ON
CHOISISSAIT POUR JOUER DE LA MUSIQUE POUR SALOMON,
PENDANT QU'IL FAISAIT L'AMOUR À LA REINE. » (sic)

Comment demander à un pauvre jeune
homme de rester de bois devant la plus belle
femme du monde dans les bras du plus grand
prince charmant de son temps ?... Et en Techni-
color ?... Le malheureux Aspha ne s'en est jamais
remis, comme le suggère la lecture :

1. Cf. *L'Univers d'Edgar Cayce*, tome I, p. 271.

« L'ENTITÉ CONNUT DES FRUSTATIONS SUR CERTAINS PLANS, MATÉRIELS AUSSI BIEN QUE SPIRITUELS — ET L'INFLUENCE S'EN FERA ENCORE SENTIR DANS SON EXPÉRIENCE DE VIE » (actuelle).

« EN CONSÉQUENCE DE QUOI, NE VOUS MARIEZ PAS TROP JEUNE ! CE SERAIT LA CATASTROPHE ! NE VOUS MARIEZ SURTOUT PAS AVANT 32 ANS ! NE VOUS MARIEZ PAS AVANT D'AVOIR MAÎTRISÉ VOTRE ART DE MUSICIEN, QUI SUPPOSE LA MAÎTRISE DE VOTRE CORPS, DE VOTRE MAIN, DE VOTRE INTELLIGENCE DE LA MUSIQUE. ET LIMITEZ-VOUS AU PIANO ! »

Enfin, Cayce revient sur cette vie à l'époque archaïque de l'Atlantide, plusieurs centaines de milliers d'années auparavant :

« AUPARAVANT, NOUS RETROUVONS L'ENTITÉ EN ATLANTIDE ; DANS CE TEMPS-LÀ, AVANT QU'ADAM NE FÛT SUR LA TERRE, L'ENTITÉ ÉTAIT PARMI CEUX QUI SE PROJETAIENT DANS DES FORMES-PENSÉES, ET SON ÊTRE PHYSIQUE COMPORTAIT L'UNION DES DEUX SEXES DANS UN SEUL CORPS. CE QUI NE L'EMPÊCHAIT PAS D'ÊTRE MUSICIEN, JOUEUR DE FLÛTE, C'EST-À-DIRE D'INSTRUMENTS DE LA FAMILLE DU ROSEAU. »

Avec un passé pareil, le consultant peut réussir n'importe quoi dans la musique :

« EN CE QUI CONCERNE LES TALENTS DE L'ENTITÉ, CE À QUOI ELLE PEUT PRÉTENDRE ET COMMENT : RIEN NE LUI EST IMPOSSIBLE, GLOIRE, FORTUNE, ÉPANOUISSEMENT SPIRITUEL ; MAIS CELA NE SERA PAS FACILE, TANT QUE L'ENTITÉ N'AURA PAS GAGNÉ LA MAÎTRISE DE SOI-MÊME.

PASSONS AUX QUESTIONS. »

« Devrai-je prendre un emploi, ou bien démarrer l'École (de musique) en juin ? »

« COMME VOUS VOUDREZ. QUEL QUE SOIT VOTRE CHOIX, SURTOUT COMMENCEZ À TRAVAILLER (la musique). ET NE DEVENEZ L'OBLIGÉ DE PERSONNE. »

« Où, et avec qui, devrai-je étudier le piano après le diplôme ? »

« DANS L'UNE DES ÉCOLES DE NEW YORK. MAIS QUAND VOUS IREZ LÀ-BAS, ATTENTION ! »

« Suis-je homosexuel ? »

« LISEZ CE QUI EST ÉCRIT. »

Compte tenu de l'époque et du pays, c'est-à-dire de l'horreur qu'inspire l'homosexualité à l'opinion américaine, Cayce ne pouvait pas le dire carrément. Cette horreur, ce rejet total, explique le comportement agressif (c'est-à-dire vigoureusement défensif) des groupes et des individus homosexuels aux États-Unis actuellement. Dans la vieille Europe, on trouve plus de tolérance. Et d'ailleurs, nulle part dans les lectures de Cayce on ne trouve une condamnation de l'homosexualité en tant que telle. Il la considère plutôt comme un état transitoire entre une incarnation féminine et une incarnation masculine (ou vice versa). L'entité qui, dans ses vies précédentes, avait l'habitude de s'exprimer avec un corps de femme, se trouve très mal à l'aise dans le nouveau corps qu'il a choisi au masculin. Il lui faut plusieurs vies pour maîtriser les vibrations masculines (et réciproquement dans le cas des femmes homosexuelles, qui viennent donc d'une incarnation masculine).

Dans plusieurs lectures de vie en Grèce antique (où l'homosexualité était pleinement acceptée), Cayce ne condamne rien. Il se place toujours d'un point de vue spirituel : comment l'entité a-t-elle utilisé ces données matérielles pour progresser dans l'amour divin et servir les autres ?

« DÉCOUVRIR SA VRAIE RELATION À L'INFINI » (c'est-à-dire à

Dieu), dit-il plus haut dans la lecture. C'est la seule question.

Toutes les autres sont sans intérêt.

La lecture se termine par une dernière demande :

«D'autres conseils spirituels ou intellectuels ?»

«DÉCIDEZ-EN VOUS-MÊME CE QUE VOUS CHOISIREZ, CAR S'OFFRENT À VOUS LE BIEN ET LE MAL, LA VIE ET LA MORT, ET C'EST VOUS QUI DEVEZ CHOISIR. SACHEZ AU FOND DE VOUS-MÊME QUE, SI VOUS ÊTES EN UNION AVEC LE SEIGNEUR DANS SA VOLONTÉ, ON NE PEUT RIEN CONTRE VOUS.

NOUS EN AVONS FINI !»

(Lecture 5056)

La dernière phrase laisse supposer que le consultant va devoir affronter des jalousies — qui deviendront d'autant plus violentes qu'il progressera vers la gloire !

BIBLIOGRAPHIE

DOROTHÉE KOECHLIN DE BIZEMONT: *L'Univers d'Edgar Cayce*, T. I, 1986, et T. II, 1987, Éd. Robert Laffont. *Les Prophéties d'Edgar Cayce*, Le Rocher, Paris, 1989. *L'Astrologie karmique d'Edgar Cayce* Éd. Robert Laffont, Paris, 1983.

ALFRED A. TOMATIS: *L'Oreille et le Langage*, Éd. du Seuil, 1963, Collection Microcosmes. *Vers l'Écoute humaine*, Éd. ESF, 1974, Paris, T. I: Qu'est-ce que l'écoute humaine? *L'Oreille et la Vie*, Éd. Robert Laffont, 1977. Itinéraire d'une recherche sur l'audition. Le Langage et la Communication. *L'Oreille et la Voix*, Éd. Robert Laffont, 1988.

MARIE-LOUISE AUCHER: *L'Homme sonore*, l'Épi, Paris, 1983.

ÉDOUARD SCHURÉ: *Les Grands Initiés*, Presses Pocket, Paris, 1983.

CYRIL SCOTT: *La Musique, son influence secrète à travers les Ages*, La Baconnière, Neuchâtel (Suisse) 1984.

RALPH TEGTMEIER: *Guide des musiques nouvelles*, le Souffle d'Or, BP 3, 05300 Barret-le-Bas, 1988.

ERNEST BOZZANO: *Phénomènes psychiques au moment de la mort*, Éd. de la BPS, Paris, 1923.

ROGER J.V. COTTE: *Musique et Symbolisme*, Dangles, Paris, 1988.

A.K. EDWARDS: *Mondes de lumières, Rapport X.7*, le Hiérarch, Paris, 1988.

JACQUES CHAILLEY: *Histoire musicale du Moyen Age* P.U.F., 1950.

JEAN LALOUP: *Dictionnaire de littérature grecque et latine*, Éd. Universitaires, Paris 1969.

Dr FRANCIS LEFÉBURE: *Le Nom naturel de Dieu, OM et les Mantras*, 1987. *Du moulin à prière à la dynamo spirituelle*, 1988 Éd. du C.D.H.P.H., École du Dr Lefébure, 3, rue de la Chapelle, 75018 Paris.

SUZANNE MAX-GETTING: *Les Missionnaires de l'Astral* Leymarie, Paris, 1929.

ÉRIC MURAISE: *Voyance et Prophétisme*, F. Sorlot-F. Lanore, Paris, 1980.

ALBERT PAUCHARD: *L'Autre Monde*, Éd. Amour et Vie, 1976, Autricourt, 21576 par Brion-sur-Ource.

ÉTIENNE PERROT et RICHARD WILHELM: *Yi-King, le livre des Transformations*, Librairie de Médicis, Paris, 1973.

En américain:

MANTAK CHIA: *Taoist ways to transform stress into vitality*, Healing Tao Books, Huntington, New York 1986.

SHIRLEY RABB WINSTON: *Music as the bridge*, A.R.E. Press Fondation Edgar Cayce, Virginia Beach, 1984.

JULIET BROOKE BALLARD: *The hidden laws of Earth*, A.R.E., Fondation Edgar Cayce, Virginia Beach (USA), 1979.

J. EVERETT IRION: *Vibrations*, A.R.E., Fondation Edgar Cayce, Virginia Beach, 1979.

TABLE DES MATIÈRES

Fondation Cayce

ARE, P.O Box 595, Virginia Beach, VA 23451 U.S.A.

Adresse des ateliers de l'association « Le Navire Argo »

(musicothérapie, healing, lectures des auras, astrologie karmique, radiesthésie, contact avec les esprits de la Nature, analyse des rêves, dans l'esprit d'Edgar Cayce): BP 674-08, 75367 Paris Cedex 08 (FRANCE)...................

Dépôt légal : octobre 1989
N° d'édition : CNE Section et industrie Monaco 19023

Achevé   Imprimerie
d'imprimer Gagné Ltée
au Canada Louiseville